Larousse
de la
conjugación

Repartese el verbo en modos. el modo en tiempos.
el tiempo en numeros, el numero en personas. El
modo enel verbo:que Quintiliano llama calidad : es
aquello por lo cual se distinguen ciertas maneras de si
gnificado enel verbo. Estos son cinco Indicativo
imperatigo.optativo.subjunctivo.infinitivo.

Explicación de una lección
por Elio Antonio de Nebrija
y párrafo de la primera
Gramática Castellana,
publicada por él en Salamanca en el año 1492
(Biblioteca Nacional. Madrid.)

Larousse
de la
conjugación

por
RAMÓN Y FERNANDO GARCÍA-PELAYO Y GROSS
MICHELINE DURAND

EDICIONES
Larousse

| Paseo de Gracia 120 | Marsella 53 | 17 Rue du Montparnasse | Valentín Gómez 3530 |
| Barcelona 08008 | México 06600 D.F. | 75298 París Cedex 06 | 1191 Buenos Aires |

© 1982, Librairie Larousse

"D.R." © 1982, por Ediciones Larousse, S.A. de C.V.
                Marsella núm. 53, México 06600, D.F.

*Esta obra no puede ser reproducida, total o
parcialmente, sin autorización escrita del editor.*

PRIMERA EDICIÓN.—Décimosexta reimpresión

ISBN 2-03-490043-X (Librairie Larousse)
ISBN 970-607-012-5 (Ediciones Larousse)

Impreso en México — Printed in Mexico

PRÓLOGO

La supuesta facilidad de la gramática española no impide que muchos usuarios o aprendices de nuestra lengua encuentren con cierta frecuencia dificultades en el manejo de los verbos. Esta observación nos ha llevado a publicar el *Larousse de la conjugación*, libro de pequeño tamaño, pero rico en contenido, donde se trata la flexión verbal en toda su extensión. El objetivo esencial de esta obra consiste en servir de auxilio a la memoria, cuando ésta se ve asaltada por las dudas, constituyendo así un complemento de las gramáticas y diccionarios existentes en los cuales la conjugación no figura con todo el detalle requerido.

Dicho compendio contiene los conceptos básicos indispensables en la materia, haciendo hincapié en lo relativo a los tiempos, varios cuadros con los paradigmas de verbos regulares è irregulares y, finalmente, una lista superior a 10 000 verbos que van seguidos, cada uno, de un número correspondiente al modelo de su conjugación y que abarca no sólo los reseñados en el Diccionario de la Real Academia Española, sino también otros muchos corrientemente empleados, pero sin respaldo oficial, así como los pertenecientes a la terminología propia de ciencias y técnicas que han alcanzado gran desarrollo en los tiempos actuales.

En las últimas páginas figuran unos apéndices dedicados a los verbos defectivos, a los unipersonales y a aquellos que tienen participios irregulares. Se dan también unas nociones sumarias acerca de los tratamientos, con una referencia particular al *voseo*, modalidad bastante difundida por algunas áreas del continente americano.

Abrigamos la esperanza de que este *Larousse de la conjugación*, por su carácter didáctico, sea de gran utilidad, tanto en centros docentes como fuera de ellos, gracias a la contribución que aporta al empleo correcto de los distintos tiempos y personas del verbo, parte fundamental de la oración.

RAMÓN GARCÍA-PELAYO Y GROSS

ÍNDICE

EL VERBO

El *verbo* es la parte de la oración que expresa esencia, estado, acción o pasión, indicando generalmente el tiempo y la persona. Así, al decir *leo* o *leen* queremos significar que soy *yo* o son *ellos* quienes realizan la acción de *leer* en el momento presente. Análogas consideraciones pueden hacerse si la acción tuvo lugar en el pasado *(leía, leían, leí, leyeron)* o si se espera que ocurra en el futuro *(leeré, leeremos)*.

El verbo expresa no sólo las tres posibilidades temporales (presente, pasado y futuro), sino que también indica si la acción está acabada o no. La oración gramatical necesita la existencia de un verbo, expreso o tácito, lo cual demuestra el papel fundamental que desempeña esta parte del discurso.

Clases de verbos según su significación

$$
\text{verbo} \begin{cases} \text{copulativo} \\ \text{predicativo} \begin{cases} \text{transitivo} \begin{cases} \text{nominal} \\ \text{pronominal} \begin{cases} \text{reflexivo} \\ \text{recíproco} \end{cases} \end{cases} \\ \text{intransitivo} \end{cases} \end{cases}
$$

1. Verbo copulativo es el que sirve de lazo de unión entre el sujeto y el predicado nominal de una oración *(Juan ES colombiano; las aves SON animales vertebrados).*

2. Verbo predicativo es el que encierra la idea de un *predicado* (calidad y atributo) y siempre expresa un estado, acción o pasión. Se dividen estos verbos en dos grandes grupos : transitivos e intransitivos.

3. En el **verbo transitivo** la acción recae sobre una persona o cosa, expresa o tácita. El objeto que recibe directamente la acción se denomina *complemento directo (Juan leyó la CARTA).* Para conocer si un verbo es transitivo hay que preguntarse *qué* o *qué cosa* es el objeto de la acción. Por ejemplo, *amar* es un verbo transitivo ; en efecto, a la pregunta *¿ qué se ama ?* cabe responder *la Naturaleza, a Dios, a los hijos,* etc.

Dentro de los transitivos se incluyen los *nominales,* cuyo complemento directo es un nombre, y los *pronominales,* en los que esta función corresponde a un pronombre. Estos últimos se subdividen a su vez en reflexivos y recíprocos (ver 5 y 6).

4. En el **verbo intransitivo** la acción permanece en el sujeto y resulta completa sin necesidad de un objeto directo *(Kant NACIÓ, VIVIÓ y MURIÓ en Königsberg; María ENMUDECIÓ de terror).* Muchos verbos se usan como transitivos o como intransitivos, según los casos. Compárense las oraciones *el atleta corre* y *el atleta corre los cien metros lisos.*

Dentro de los intransitivos hay algunos verbos, escasos en castellano, llamados *verbos neutros* o *de estado.* Expresan éstos una situación duradera en el sujeto *(estar)* o bien que éste no interviene en la acción o sólo lo hace de modo poco activo *(vivir, existir, yacer, quedar,* etc.).

5. Verbo reflexivo es aquel cuya acción recae o se refleja sobre el mismo sujeto que la realiza *(yo ME lavo)*. El objeto se expresa mediante un pronombre personal *(me, te, se, nos, os, se)*. Existen verbos exclusivamente reflexivos *(atreverse, arrepentirse, quejarse*, etc.), mientras que otros muchos se utilizan también como verbos no reflexivos *(lavar y lavarse; dormir y dormirse*, etc.).

6. Verbo recíproco es el que tiene por sujeto agente a dos o más personas, cosas o animales que ejercen una acción sobre los otros, al mismo tiempo que la reciben de ellos *(Pedro y yo nos saludamos; los amigos se tutean)*. A veces, para reforzar el matiz de reciprocidad, es necesario añadir ciertas locuciones ya que estos verbos se construyen, como los reflexivos, con los pronombres *nos, os* y *se*. Véanse los siguientes ejemplos : *los hermanos se ayudaban* ENTRE Sí ; *los dos rivales se insultaron* RECÍPROCAMENTE.

Conjugación

Se denomina *conjugación* o *flexión* del verbo al conjunto de todas las formas que éste puede adoptar.

El verbo, parte de la oración que presenta más variaciones, consta de una *raíz* o *radical*, generalmente invariable, y de una *terminación* o *desinencia*, que cambia según los casos. En *am-o, am-amos, am-aban* se observan claramente estas dos secciones. Las modificaciones que el verbo sufre en su estructura denotan sus diferentes voces, modos, tiempos, números y personas, es decir, los denominados *accidentes*. Cabe considerar asimismo el *aspecto* o modo de presentarse la acción verbal.

1. La **voz** de un verbo indica si el sujeto es el que realiza la acción expresada o si es el que la recibe. En el primer caso se trata de la *voz activa (yo* AMO) y en el segundo de la *voz pasiva (yo* SOY AMADO).

La voz pasiva se construye con el verbo *ser* y, a veces, con *estar*, que por eso reciben el nombre de *auxiliares*, seguidos del participio del verbo que se conjuga. En castellano, en contraste con otras lenguas, se usa la forma activa más que la pasiva. La *voz pasiva refleja e impersonal*, cuyo empleo es cada vez más frecuente en sustitución de la construcción *ser + participio*, se forma con el verbo en 3ª persona, precedido de la partícula *se*, y el sujeto paciente ha de concordar con el verbo (SE *prohíbe fumar*, SE *venden pisos*).

2. El **modo** verbal denota la actitud del hablante con respecto a lo que dice.

El *modo indicativo* enuncia el hecho de manera real y objetiva *(Pedro* ESTUDIA *medicina en la Facultad de Buenos Aires)*.

El *modo subjuntivo* indica un hecho como subordinado a otro verbo que exprese deseo, temor, voluntad, suposición, etc. *(quiero que* VENGAS ; *temo que* LLUEVA).

El *modo potencial* presenta un hecho no como real, sino como posible, casi siempre dependiente de una condición *(si trabajaras más,* GANARÍAS *más dinero)*. Los gramáticos consideran actualmente el potencial como un tiempo más del indicativo, llamado *condicional*, y no como un modo.

El *modo imperativo* se utiliza para formular órdenes, expresar un ruego, hacer una petición o dar un consejo (VENID *a las doce;* AMA *al prójimo)*.

8

Además de los modos estudiados anteriormente, existen en la conjugación otras formas llamadas *no personales* o *infinitas*, sin desinencias de número y persona, que son el *infinitivo*, considerado como la forma sustantiva del verbo (AMAR *a Dios*), el *participio*, que equivale a un adjetivo *(libro* EDITADO *en México)*, y el *gerundio*, con valor adverbial *(vino* CORRIENDO*)*. El gran filólogo y gramático venezolano Andrés **Bello** (1781-1865) da a estas tres formas la denominación de *derivados verbales*.

3. El **tiempo** indica que la acción verbal se realiza en un momento *presente*, *pasado* (o *pretérito*) o *futuro*. Desde un punto de vista estructural, existen *tiempos simples*, formados por una sola palabra *(amo, amaremos)*, y *compuestos*, con dos o más *(he amado, habremos sido amados)*. Estos últimos, construidos con el auxiliar *haber* y el participio del verbo conjugado, añaden un aspecto perfectivo, es decir, expresan la acción como terminada.

Cada uno de los modos tratados en el apartado anterior contiene uno o varios tiempos, tal como se sintetiza en los siguientes cuadros, en los que se señalan conjuntamente la terminología de la Real Academia Española y la que propuso en el siglo XIX el gramático venezolano Andrés Bello, esta última muy extendida por los países americanos de lengua castellana.

Modos y tiempos

		Real Academia	**Andrés Bello**	**Forma**
Indicativo	tiempos simples	presente	presente	amo
		pret. imperfecto	copretérito	amaba
		pret. perfecto simple	pretérito	amé
		futuro	futuro	amaré
		condicional	pospretérito	amaría
	tiempos compuestos	pret. perfecto compuesto	antepresente	he amado
		pret. pluscuam-perfecto	antecopretérito	había amado
		pret. anterior	antepretérito	hube amado
		futuro perfecto	antefuturo	habré amado
		condicional perfecto	antepospretérito	habría amado
Subjuntivo	tiempos simples	presente	presente	ame
		pret. imperfecto	pretérito	amara o amase
		futuro	futuro	amare
	tiempos compuestos	pret. perfecto	antepresente	haya amado
		pret. pluscuam-perfecto	antepretérito	hubiera o hubiese amado
		futuro perfecto	antefuturo	hubiere amado
Imperativo	t. simple	presente	presente	ama, amad

Formas no personales	infinitivo	simple	amar
		compuesto	haber amado
	gerundio	simple	amando
		compuesto	habiendo amado
	participio		amado

4. Cada tiempo del verbo se compone de seis formas que corresponden a las tres **personas** gramaticales del **número** singular *(yo, tú, él)* y a las tres del plural *(nosotros, vosotros, ellos)*.

Estas tres personas indican quien o quienes realizan la acción del verbo. La primera *(yo, nosotros, nosotras)* señala quien o quienes hablan *(yo como temprano)*, la segunda *(tú, vosotros, vosotras)* se refiere al interlocutor o a los interlocutores de la primera persona *(vosotros tenéis que llevar a cabo el trabajo que os han encomendado)* y la tercera *(él, ellos, ellas)* designa a aquellas personas de quienes se habla *(ellos se reían descaradamente)*.

La flexión verbal castellana, al tener las desinencias de número y persona muy diferentes, hace en general innecesaria, salvo para dar mayor énfasis, la utilización de los pronombres personales *(yo, tú, nosotros, etc.)* antes de la forma verbal propiamente dicha.

Salvo en el pretérito perfecto simple, llamado, pretérito por Andrés Bello, las desinencias de número y persona son las siguientes :

	sing.	*pl.*
1ª pers.	- vocal	- mos
2ª pers.	- s	- is
3ª pers.	- vocal	- n

Las terminaciones del pretérito perfecto simple (pretérito) difieren bastante de las anteriores :

	sing.	*pl.*
1ª pers.	- vocal	- mos
2ª pers.	- ste	- steis
3ª pers.	- vocal	- ron

5. El **aspecto** de la acción verbal se refiere a la manera de considerar ésta, según que el significado propio del verbo denote un carácter instantáneo *(disparar, morir)*, durativo *(dormir)*, reiterativo *(machacar)*, perfectivo *(nacer)* o imperfectivo *(correr)*.

La utilización del tiempo verbal es asimismo esencial para la expresión del aspecto. Debe señalarse que todos los tiempos compuestos, más el pretérito perfecto simple, son perfectivos *(hemos comido; ayer hablé)*. Los demás tiempos simples son, en cambio, de carácter imperfectivo *(yo leo; Juan trabajaba en la mina)*. Cuando un verbo perfectivo de carácter instantáneo se presenta en tiempo imperfectivo adquiere un aspecto reiterativo *(el soldado disparaba tras la trinchera)*.

Ciertas perífrasis y locuciones verbales sirven para expresar diversos aspectos. Así, *ir a + infinitivo* denota un aspecto incoativo, es decir, indica el principio de la acción *(iré a comer dentro de poco a casa de mi hermana)*. *Estar + gerundio* es la construcción usada para reflejar un aspecto progresivo o de duración *(le atropelló un automóvil cuando iba saliendo de la oficina; al no conciliar el sueño, estuvo leyendo la noche entera)*.

División de los verbos según su conjugación

Los verbos, según la conjugación que tengan, se dividen en regulares, irregulares, defectivos y unipersonales. Existen también los auxiliares, llamados así por la función que desempeñan en la formación de los tiempos compuestos y en la voz pasiva.

1. Verbos regulares son aquellos que, en cualquier tiempo o persona, no alteran la raíz o las desinencias propias del modelo a que pertenecen.

La conjugación española se divide en tres grupos, según que el infinitivo termine en *-ar, -er* o *-ir* (1ª, 2ª y 3ª conjugación). Más adelante se expondrán sistemáticamente todas las flexiones verbales de los paradigmas (modelos) de cada una de las conjugaciones : *amar, temer, partir.*

2. Verbos irregulares son aquellos en cuya conjugación aparecen alteraciones en la terminación, en la raíz o en ambas a la vez, si se comparan con los paradigmas de la conjugación a la que pertenecen. Así, la 1ª persona del singular del verbo *jugar* es JUEGO, en lugar de *jugo*, del verbo *salir* es SALGO, en lugar de *salo*, del verbo *ir* es VOY, etc.

Las irregularidades verbales, como se señalará más adelante en una serie de modelos, son de diversos tipos. En la última parte de este libro figura una lista alfabética de verbos castellanos, ya sean regulares o irregulares, seguidos de un número que remite al modelo correspondiente.

3. Verbos defectivos son los que presentan un cuadro flexivo incompleto, es decir, aquellos que no se emplean en todas las formas de la conjugación. Esto se debe al propio significado del verbo, que haría ilógico el uso de algunas formas o personas. Así, verbos como *atañer, acaecer, acontecer* o *concernir* sólo se conjugan en la tercera persona. Otras veces las limitaciones de uso obedecen a razones de índole fonética, ya que ciertas formas producirían un sonido desagradable (cacofonía). Éste es el caso de los verbos *agredir* y *abolir,* sólo usados en las formas en que la vocal *i* entra en la desinencia (*agredimos, agredía ; abolimos, abolía,* etc.).

4. Verbos unipersonales son los que solamente pueden usarse en el infinitivo y en la tercera persona del singular de todos los tiempos. Corresponden a fenómenos meteorológicos o de la naturaleza (*ayer llovió ; hoy ha nevado*). No obstante, sacados de su significado habitual, estos verbos pueden llevar sujetos y dejan de ser unipersonales (*amanecerán días de gloria ; anochecí en Buenos Aires*).

Otros verbos, pero sólo en casos muy especiales, pueden considerarse unipersonales. Citemos como ejemplos los de « ser », construido con expresiones de tiempo, salvo las horas (*es tarde ; es temprano*), « haber », si denota existencia (*había una gran multitud en el estadio*) o un hecho (*hubo peleas aquel día*), y « hacer », cuando expresa una contingencia climática (*hizo mucho calor*) o el paso del tiempo (*hace muchos años que no lo veo*).

5. Verbos auxiliares son los que sirven para la formación de los tiempos compuestos y de la voz pasiva. *Haber, ser* y *estar* son los más usados. No obstante, existen algunos otros verbos que, al encabezar una perífrasis verbal, pierden totalmente su significado propio y se convierten en verdaderos auxiliares. En los ejemplos siguientes : *vamos a trabajar seriamente, te lo tengo prometido, hace tiempo que vengo sospechando este hurto,* los verbos *ir, tener* y *venir* están lejos de su significado habitual y el simple análisis nos lleva a considerarlos como auxiliares.

Significado de los tiempos

El momento en que se realiza la acción verbal viene indicado por los tiempos, que pueden referirse al *presente, pretérito* o *futuro.*

Existen tiempos *absolutos,* en los que la acción se expresa en uno de esos momentos citados (presente, pretérito, futuro), y *relativos,* en los que se tiene en cuenta la relación de un hecho con otro, tomándose en este caso como referencia no el presente de la persona que habla, sino otro tiempo que aparezca en el discurso. También se habla de tiempos *perfectos,* en los que la acción se presenta como acabada, e *imperfectos,* en los que ésta continúa produciéndose.

A continuación se reseña el uso más corriente de los tiempos verbales castellanos y los diversos matices que éstos introducen en la oración.

MODO INDICATIVO

1. Presente. Es un tiempo absoluto que expresa coincidencia entre la acción y el momento en que se habla *(Juan lee la prensa).* Además de este uso fundamental, el presente de indicativo se emplea de diversos modos que se señalan seguidamente.

El *presente habitual* se refiere a actos discontinuos que pueden producirse o no en el momento de hablar, pero que han ocurrido antes y que lo harán después *(estudio medicina).*

El *presente histórico* se usa para la narración de hechos pasados, cuando el contexto no deja lugar a dudas acerca del momento en que tuvo lugar la acción *(el Imperio Romano, según la mayoría de los historiadores, desaparece en el año 395).* Este empleo es muy frecuente ya que proporciona extraordinaria vivacidad al relato.

El *presente con valor de futuro* se suele utilizar cuando se tiene la seguridad o la intención de llevar a cabo la acción verbal *(mañana salgo para Londres con objeto de ver a unos amigos).*

El *presente de mandato* hace las veces de imperativo *(mañana vas a la librería y compras un diccionario).*

El presente de indicativo es también el tiempo adecuado para enunciar las verdades intemporales *(el triángulo es un polígono de tres lados).*

2. Pretérito imperfecto. Es un tiempo relativo que expresa una acción pasada cuyo principio y fin no se tienen en cuenta. Posee una gran amplitud temporal y resulta por tanto muy útil en narraciones *(cuando amanecía, los pájaros empezaban a cantar).* La denominación de *copretérito,* debida a Andrés Bello, es muy acertada ya que este tiempo desempeña las mismas funciones que el presente, pero en un momento pasado (pretérito coexistente) : *cuando terminó la guerra, las madres lloraban de alegría.*

El pretérito imperfecto se utiliza también para moderar cortésmente el rigor de las peticiones *(quería pedirte un favor)* y, en el habla coloquial, sustituye con frecuencia al condicional en las oraciones principales colocadas después de subordinadas que enuncian una hipótesis *(si me tocara la lotería, me iba de viaje a París,* en lugar de *iría).*

3. Pretérito perfecto simple y pretérito perfecto compuesto.

Son tiempos del pasado que conviene estudiar conjuntamente, por su carácter absoluto y su aspecto perfectivo. La diferencia fundamental existente entre ambos se halla en relación con la unidad de tiempo que se toma como referencia. El pretérito perfecto simple, llamado antes *pretérito indefinido,* se refiere a una unidad de tiempo ya concluida para el hablante *(ayer vi a Juan)* y el compuesto expresa en cambio una acción terminada en un período de tiempo que todavía es presente para el que formula la idea *(este año ha llovido mucho).* Se suelen confundir con bastante frecuencia estos matices y se hace un uso indistinto de estos dos tiempos verbales. A título orientativo, se recomienda el empleo del compuesto para las acciones que acaban de terminar *(he sentido mucho la muerte de tu padre)* y el simple cuando se refiere a una acción más lejana en el pasado *(sentí mucho la muerte de tu padre el verano pasado).* No obstante, los diferentes usos regionales en el amplio mundo de habla española han contribuido a invalidar prácticamente esta normativa. Obsérvese cuán frecuentemente los presentadores de televisión lanzan al aire expresiones del siguiente tenor : *vieron ustedes la retransmisión de la final de la Copa del Mundo.*

4. Pretérito pluscuamperfecto.
Es un tiempo relativo que expresa la anterioridad de un hecho pasado con respecto a otro también pasado *(cuando llegué ya había muerto).*

5. Pretérito anterior.
Es un tiempo relativo que expresa un hecho inmediatamente anterior a otro *(apenas hubo sonado el disparo, cuando llegó la policía).* Se diferencia del pluscuamperfecto en la proximidad de los hechos. Este tiempo verbal, que va siempre precedido de adverbios de tiempo (apenas, después que, tan pronto, en cuanto que, cuando, etc.), se usa muy poco y se suele sustituir por el pretérito perfecto simple o por el pluscuamperfecto, aunque esto acarree cierta pérdida de matices.

6. Futuro imperfecto.
Es un tiempo absoluto que expresa una acción venidera *(vendré temprano mañana).*

Se utiliza también, en sustitución del imperativo, en las fórmulas de ruego y mandato *(amarás a Dios sobre todas las cosas)* e incluso para denotar una probabilidad *(supongo que sabrás la lección).*

7. Futuro perfecto.
Es un tiempo relativo que expresa una acción venidera y acabada anterior a otra también futura *(cuando vengas a verle ya habrá terminado el trabajo).*

El *futuro de probabilidad* se refiere a una acción que se supone ha ocurrido en el pasado *(pienso que ya habrá terminado la función).*

8. Condicional.
Es un tiempo relativo que expresa una acción futura en relación con el pasado *(la radio anunció que llovería).* El término de la acción queda totalmente indeterminado ya que, si se considera desde el momento

presente, dicha acción ha podido completarse en el pasado, puede estar realizándose en el presente o tener lugar en el futuro.

Dado el carácter futuro de este tiempo, la acción expresada es siempre eventual o hipotética, por lo que recibe también el nombre de *futuro hipotético*. Su empleo más característico es precisamente en la oración principal después de una subordinada condicional *(si vinieras pronto, iríamos de paseo)*.

El condicional sirve además para expresar la probabilidad en el pasado *(serían las cuatro cuando se produjo el asesinato)* y en el futuro *(no sería raro que mañana lloviera)*. Este tiempo se usa asimismo para emitir ruegos y hacer peticiones de cortesía por ser de talante menos severo que el pretérito imperfecto *(yo querría pedirte un favor)*.

9. Condicional perfecto. Es un tiempo relativo para expresar una acción futura en relación con un pasado que se considera punto de partida. La diferencia esencial con respecto al condicional simple consiste en que la acción se presenta como terminada *(me dijo que cuando yo viniera ya habría terminado completamente su trabajo)*.

Del mismo modo que el condicional simple, este tiempo verbal se utiliza en la oración principal después de una subordinada condicional *(si hubieras estudiado más, habrías aprobado)*. Se usa también para expresar la probabilidad, aunque sólo en el pasado *(habrían dado las diez)* y como fórmula de cortesía *(yo habría querido ser más generoso)*.

MODO SUBJUNTIVO

Las relaciones temporales entre las distintas formas verbales del subjuntivo, debido al carácter de irrealidad que encierra este modo, son menos claras que en el indicativo, y lo mismo ocurre con la correspondencia entre los tiempos de estos dos modos. El indicativo tiene diez tiempos y el subjuntivo sólo seis, prácticamente reducidos a cuatro por el escaso empleo de los futuros.

Todos los tiempos del subjuntivo son relativos, de tal manera que la complejidad es aun mayor y, a veces, las relaciones de anterioridad, coexistencia y posterioridad se revelan harto aleatorias. A pesar de todo, a continuación se describe someramente el uso de aquéllos.

1. Presente. Es un tiempo relativo y de aspecto imperfectivo que expresa indistintamente una acción presente o futura *(no creo que lo conozcas; dudo que vengan antes de dos meses)*.

Debido a la capacidad de este tiempo para denotar una acción futura, es muy frecuente el uso del mismo para construir oraciones simples dubitativas *(tal vez venga mañana)*, optativas *(¡ojalá apruebe el examen!)* y exhortativas *(¡marchemos francamente por la senda constitucional!)*. Sirve también para expresar mandatos, por lo que se utiliza para sustituir a las personas inexistentes en el imperativo, que sólo posee la segunda del singular y del plural *(venga usted temprano; amemos a la patria)*, y para la formulación negativa de un ruego o una orden *(no rompáis la unidad nacional*, en lugar de *no romped)*.

2. Pretérito imperfecto. Es un tiempo relativo e imperfectivo usado para referirse a una acción pasada, presente o futura *(me rogaron que cuidara las plantas)*. Se diferencia del presente en que este último no puede expresar una acción pretérita. Suele depender de otro verbo en modo indicativo y en tiempos pretérito perfecto simple, pretérito imperfecto o condicional. Así, en el ejemplo anterior, el verbo principal podría haber sido *rogaban* o *rogarían*.

En las oraciones simples, el pretérito imperfecto de subjuntivo expresa, reforzados, los mismos matices (duda, deseo) que el presente *(quizá la mercancía resultara cara; ¡ojalá aprobara el examen!)*.

3. Pretérito perfecto. Es un tiempo relativo y de aspecto perfectivo que expresa una acción acabada en un tiempo pasado o futuro. Suele depender de otro verbo en presente o en futuro de indicativo *(dudo que haya terminado; me alegraré de que lo haya terminado)*.

4. Pretérito pluscuamperfecto. Es un tiempo relativo y perfectivo que expresa una acción pasada realizada en una unidad de tiempo ya terminada *(yo no sabía que hubieras terminado ya la carrera)*. Corresponde al pluscuamperfecto de indicativo y al condicional compuesto.

5. Futuro y futuro perfecto. Son tiempos relativos que sirven para expresar una acción venidera posible. Han caído prácticamente en desuso y sólo se conservan en el lenguaje jurídico, habiéndose sustituido el primero en el habla corriente por los presentes de indicativo o de subjuntivo y el segundo por los pretéritos perfectos de indicativo o de subjuntivo. No obstante, persisten algunos dichos o proverbios antiguos en los que se utilizan aún estos tiempos *(donde quiera que fueres, haz lo que vieres)*.

MODO IMPERATIVO

Presente. Es el único tiempo de este modo y sirve para expresar un mandato *(ve al mercado y compra fruta)*. No posee más que dos formas propias, la segunda del singular *(acelera un poco el paso, por favor)* y la segunda del plural *(venid todos a comer a las dos en punto)* y las restantes ha de tomarlas del presente de subjuntivo *(tengan a bien presenciar el acto)*. Ya se ha dicho como las órdenes formuladas en negativa han de recurrir también al presente de subjuntivo *(no rompáis la unidad nacional*, en vez de *romped)*.

LA CONJUGACIÓN CASTELLANA

Como se ha indicado anteriormente, los verbos regulares castellanos pertenecen a tres tipos, según que la terminación del infinitivo sea *-ar, -er* o *-ir*. Antes de la conjugación de los tres modelos correspondientes figuran los cuadros de las formas pasiva y pronominal, así como los relativos a los auxiliares *haber* y *ser*, verbos irregulares usados el primero para formar los tiempos compuestos y el segundo para la voz pasiva. Tras estos cinco verbos aparecerá una serie de irregulares con características específicas y, a continuación, verbos que sufren modificaciones ortográficas o prosódicas, conjugados en su totalidad, los cuales sirven de modelo para todos los de la lista final cuyo número de referencia señala la conjugación que debe consultarse.

Las irregularidades verbales son en su conjunto el resultado de la acción de leyes fonéticas sobre todo el sistema de la lengua española. Conviene advertir que consideramos como irregularidades sólo aparentes a aquellas que no constituyen más que variantes puramente ortográficas. Así, *dirige* y *dirija; alzo alce; pago, pague; saco, saque*, etc.

Conjugación regular

Caracteres distintivos. El primer grupo de los verbos regulares, aquellos cuyo infinitivo termina en -*ar*, es sin duda el más numeroso de todos. Los verbos de nueva creación se adaptan a este paradigma, así como los que se forman por derivación mediante sufijo y terminan en -*ear* (*plantear*), -*ficar* (*plantificar*), -*izar* (*dramatizar*) o -*ntar* (*atragantar*).

Las segunda y tercera conjugación presentan una estabilidad mucho más reducida que la primera, con frecuente vacilación entre las terminaciones -*er* e -*ir*, fenómeno que se viene produciendo desde los orígenes del castellano.

Si se considera el vocalismo de la raíz verbal, es decir la penúltima sílaba del infinitivo, puede afirmarse que son regulares, aunque algunos requieran una acentuación prosódica, los verbos de la primera conjugación cuya raíz tiene una de las vocales *a, i* o *u* (excepto *andar* y *jugar*), los que tienen diptongo en la penúltima sílaba del infinitivo (*peinar, defraudar, inquietar, enviudar,* etc.) y los que terminan en -*aar, ear, -iar, -oar* y -*uar.* También son verbos regulares los de la tercera conjugación con diptongo en la penúltima sílaba del infinitivo (*aplaudir, persuadir, reunir,* etc.).

Como ya señalamos, existen unos verbos regulares fonéticamente, pero que, por razones ortográficas, presentan una irregularidad aparente en el lenguaje escrito. En el cuadro siguiente se enumeran estas modificaciones gráficas y, después de la conjugación de los verbos verdaderamente irregulares, figura la de aquellos que pueden servir de modelo para los que sufren estas variaciones ortográficas o prosódicas en ciertos tiempos y personas :

Conjugación	Terminación	Transformación	Circunstancia	Ejemplo
Primera	-car	c → qu	delante de *e*	sacar
	-gar	g → gu	delante de *e*	pagar
	-zar	z → c	delante de *e*	cazar
Segunda	-cer	c → z	delante de *a, o*	mecer
	-ger	g → j	delante de *a, o*	proteger
	-eer	i → y	entre dos vocales y sin acento tónico	poseer
Tercera	-cir	c → z	delante de *a, o*	zurcir
	-gir	g → j	delante de *a, o*	dirigir
	-guir	u desaparece	delante de *a, o*	distinguir
	-quir	qu → c	delante de *a, o*	delinquir

Acentuación de los verbos terminados en -*iar*. Los verbos cuyo infinitivo termina en -*iar* se subdividen en dos grupos, según que acentúen o no la *i* en las personas del singular y en la tercera del plural de los tres presentes (indicativo, subjuntivo e imperativo). Véase la diferencia en el acento prosódico entre las formas *guío* (primer grupo) y *alivio* (segundo grupo). El verbo *guiar* sirve de modelo para los verbos que sufren esta alteración prosódica y figura en el cuadro que lleva el número 75.

He aquí la lista de los principales verbos que se conjugan de acuerdo con este modelo :

aliar	desataviar	jipiar
amnistiar	desaviar	liar
ampliar	descarriar	litografiar
arriar	desconfiar	malcriar
ataviar	desliar	mecanografiar
averiar	desvariar	ortografiar
aviar	desviar	piar
biografiar	enfriar	pipiar
cablegrafiar	enviar	porfiar
calcografiar	espiar	radiografiar
caligrafiar	esquiar	recriar
calofriarse	estriar	resfriar
cartografiar	expiar	rociar
ciar	extasiarse	serigrafiar
cinematografiar	extraviar	taquigrafiar
confiar	fiar	telegrafiar
contrariar	fotografiar	tipografiar
criar	fotolitografiar	variar
chirriar	hastiar	vigiar
desafiar	inventariar	xerografiar

Los demás verbos de la primera conjugación terminados en -iar tienen el acento prosódico en la sílaba que precede a la i. Es decir, no presentan ninguna anomalía, por lo que se adaptan totalmente al paradigma de la primera conjugación (amar) tal como figura más adelante en el modelo número 3.

Este subgrupo es mucho más numeroso que el anterior. A continuación ofrecemos una lista, no exhaustiva, de los principales verbos :

abreviar	desperdiciar	parodiar
acariciar	desquiciar	plagiar
agobiar	elogiar	potenciar
agraviar	enjuiciar	premiar
aliviar	ensuciar	presenciar
angustiar	enturbiar	promediar
anunciar	envidiar	pronunciar
apropiar	escanciar	rabiar
arreciar	evidenciar	radiar
asediar	expoliar	refugiar
atrofiar	fastidiar	remediar
auspiciar	incendiar	renunciar
beneficiar	iniciar	reverenciar
calumniar	injuriar	saciar
cambiar	licenciar	sentenciar
codiciar	lidiar	sitiar
comerciar	limpiar	tapiar
compendiar	maliciar	terciar
contagiar	mediar	testimoniar
copiar	negociar	vanagloriarse
denunciar	odiar	vendimiar
desahuciar	oficiar	viciar

Para algunos verbos se vacila entre la acentuación -*io* e -*ío*. A título de orientación, puede indicarse que la pronunciación -*io* es más frecuente en los verbos *afiliar* (afilio), *auxiliar* (auxilio), *conciliar*, *filiar* y *reconciliar*, mientras que el acento sobre la *i* parece tener preferencia en *ansiar* (ansío), *expatriar* (expatrío), *gloriar*, *repatriar* y *zurriar*.

Afinidad entre verbos terminados en -*iar* y en -*ear*. Existe una cierta afinidad entre los verbos terminados en -*iar* del segundo subgrupo (pronunciación -*io*) y aquellos otros que terminan en -*ear*. Esta afinidad se manifiesta sobre todo en el lenguaje popular de algunos territorios americanos, donde se ha producido una fusión más o menos completa de sus formas silábicas y acentuales. Así por ejemplo, en el habla de los gauchos argentinos, es bastante corriente el empleo del verbo *galopear* en formas tales como *galopiamos* o *galopiara*. Unos versos del Canto VI del célebre poema gauchesco *Martín Fierro*, del escritor argentino José HERNÁNDEZ (1834-1886), ilustran clara y perfectamente este uso dialectal :

> Y en medio de las aspas
> Un planazo le asenté
> Que lo largó CULEBRIANDO
> lo mismo que buscapié.
>
> Le COLORIARON las motas
> Con la sangre de la herida,
> Y volvió a venir jurioso
> Como una tigra parida.

Verbos terminados en -*uar*. Los verbos terminados en -*uar* se dividen, al igual que los acabados en -*iar*, en dos subgrupos, según se acentúe o no la *u* en las personas del singular y en la tercera del plural de los tres presentes (indicativo, subjuntivo e imperativo). Véase la diferencia entre *actúo* (primer grupo) y *averiguo* (segundo grupo). La conjugación del verbo *actuar* figura en el cuadro que lleva el número 76.

He aquí la lista de los principales verbos que se conjugan de acuerdo con este modelo en cuanto a localización del acento prosódico :

acensuar	efectuar	menstruar
acentuar	evaluar	perpetuar
atenuar	extenuar	puntuar
avaluar	fluctuar	redituar
continuar	graduar	revaluar
deshabituar	habituar	situar
desvirtuar	individuar	tatuar
devaluar	infatuar	usufructuar
discontinuar	insinuar	valuar

Los demás verbos de la primera conjugación y terminados en -*uar* llevan el acento prosódico en la sílaba que precede a la *u*. Se trata concretamente de aquellos verbos cuyo infinitivo termina en -*cuar* o -*guar*. Por lo tanto, no presentan anomalía prosódica alguna y se conjugan conforme al paradigma de la primera conjugación (*amar*, modelo número 3) o al verbo *averiguar* (número 77).

He aquí una lista con los principales verbos de este subgrupo :

adecuar	antiguar	desaguar
aguar	apaciguar	desmenguar
amaniguarse	apropincuarse	evacuar
amenguar	atestiguar	fraguar
amortiguar	atreguar	menguar
anticuar	averiguar	oblicuar

Cabe añadir que *licuar* y *promiscuar* admiten las dos pronunciaciones.

Conjugación irregular

La mayor parte de las irregularidades de la conjugación española afectan a la raíz verbal. Vamos a exponer las más corrientes en un cuadro sinóptico, aunque existen otras de carácter excepcional y de más difícil sistematización, como son los verbos con más de una raíz y las alteraciones que experimentan ciertos futuros, condicionales, participios y gerundios :

CLASES DE IRREGULARIDAD

Vocálica	debilitación	e → i	*pedir, pidió*
		o → u	*morir, murió*
	diptongación	e → ie	*querer, quiero*
		o → ue	*volver, vuelvo*
		i → ie	*inquirir, inquiero*
		u → ue	*jugar, juego*
Consonántica	sustitución de consonante		*hacer, haga ; haber, haya*
	adición de consonante	a la consonante final de la raíz	*nacer, nazco ; salir, salgo*
		a la última vocal de la raíz	*huir, huyo ; oír, oye*
Mixta	sustitución	vocal + cons. por otra vocal y cons.	*decir, digo ; caber, quepo*
	agregación	de -ig a la última vocal de la raíz	*oír, oigo ; caer, caigo*

Existen dos verbos que tienen más de una raíz :

INFINITIVO	PRESENTE	PRET. IMP.	PRET. PERF. SIMPLE
ser	soy	era	fui
ir	voy	iba	fui

Algunos verbos pierden la *e* o la *i* (síncopa) de las terminaciones *-er* e *-ir* del infinitivo cuando entran en la formación de los tiempos futuro de indicativo y condicional :

INFINITIVO	FUTURO	CONDICIONAL
haber	habré	habría
caber	cabré	cabría
saber	sabré	sabría
poder	podré	podría

Transformaciones más complejas experimentan los siguientes verbos :

INFINITIVO	FUTURO	CONDICIONAL
hacer	haré	haría
querer	querré	querría
decir	diré	diría

Y otros interponen una *d* entre la última consonante de la raíz y la *r* del infinitivo :

INFINITIVO	FUTURO	CONDICIONAL
poner	pondré	pondría
tener	tendré	tendría
valer	valdré	valdría
salir	saldré	saldría
venir	vendré	vendría

Existen verbos regulares que tienen el participio irregular y otros que tienen dos participios, uno regular y otro irregular. En este caso, las terminaciones pueden ser *-cho* (hecho), *-jo* (fijo), *-so* (impreso) o *-to* (escrito). Las listas de estos verbos figuran en los apéndices III y IV.

En cuanto al gerundio, los verbos de irregularidad vocálica del tipo e → i y o → u, como *pedir* y *morir*, construyen esta forma por debilitación : *pidiendo*, *muriendo*. No existe otra irregularidad real en los gerundios, salvo las de los verbos *poder* y *venir* : *pudiendo*, *viniendo*.

Debemos consignar, por último, que en casi todos los casos la irregularidad no suele presentarse sola, sino asociada a otra u otras.

Después de estas consideraciones generales acerca de la regularidad e irregularidad de los verbos, figuran los modelos de los verbos auxiliares, regulares, irregulares o con modificaciones ortográficas y prosódicas, conjugados en su totalidad, los cuales van numerados y sirven para conjugar todos los que figuran en la lista alfabética que sigue y que tienen un número de referencia.

Estos modelos se exponen en voz activa, pero antes presentamos un verbo en voz pasiva *(amar)* y otro en conjugación pronominal *(lavarse)*.

Por razones tipográficas, y para una mejor sistematización de los cuadros, hemos prescindido de anteponer los pronombres personales en cada tiempo, cosa que además se revela generalmente innecesaria en castellano, salvo en

algunos casos de ambigüedad o para añadir mayor énfasis. Estos pronombres
son los siguientes :

1ª pers.	yo	nosotros
2ª pers.	tú	vosotros
3ª pers.	él, ella, ello	ellos, ellas

Modelos para la conjugación

Auxiliares

1   haber
2   ser

Verbos regulares

3   amar (modelo 1ª conjugación)
4   temer (modelo 2ª conjugación)
5   partir (modelo 3ª conjugación)

Verbos irregulares

6	pedir	28	erguir	50	caer
7	tañer	29	dormir	51	traer
8	teñir	30	adquirir	52	raer
9	bruñir	31	podrir	53	roer
10	reír	32	jugar	54	leer
11	acertar	33	hacer	55	ver
12	errar	34	yacer	56	dar
13	tender	35	parecer	57	estar
14	querer	36	nacer	58	ir
15	tener	37	conocer	59	andar
16	poner	38	lucir	60	trocar
17	discernir	39	conducir	61	colgar
18	venir	40	placer	62	agorar
19	sonar	41	asir	63	negar
20	desosar	42	salir	64	comenzar
21	volver	43	valer	65	avergonzar
22	moler	44	huir	66	satisfacer
23	cocer	45	oír	67	regir
24	oler	46	decir	68	seguir
25	mover	47	predecir	69	embaír
26	poder	48	caber	70	abolir
27	sentir	49	saber		

Verbos con modificaciones ortográficas o prosódicas

71	sacar	78	airar	85	zurcir
72	pagar	79	ahincar	86	dirigir
73	cazar	80	cabrahigar	87	distinguir
74	forzar	81	enraizar	88	delinquir
75	guiar	82	aullar	89	prohibir
76	actuar	83	mecer	90	reunir
77	averiguar	84	proteger		

Conjugación pasiva

Cada uno de los tiempos figura con la denominación de la Real Academia Española de la Lengua y, en la parte inferior, la postulada por Andrés Bello.

____ INDICATIVO ____

Presente (Bello : Presente)		Pret. perf. comp. (Bello : Antepresente)		
soy	amado	he	sido	amado
eres	amado	has	sido	amado
es	amado	ha	sido	amado
somos	amados	hemos	sido	amados
sois	amados'	habéis	sido	amados
son	amados	han	sido	amados

Pret. imperf. (Bello : Copretérito)		Pret. pluscuamp. (Bello : Antecopretérito)		
era	amado	había	sido	amado
eras	amado	habias	sido	amado
era	amado	había	sido	amado
éramos	amados	habíamos	sido	amados
erais	amados	habíais	sido	amados
eran	amados	habían	sido	amados

Pret. perf. simple (Bello : Pretérito)		Pret. anterior (Bello : Antepretérito)		
fui	amado	hube	sido	amado
fuiste	amado	hubiste	sido	amado
fue	amado	hubo	sido	amado
fuimos	amados	hubimos	sido	amados
fuisteis	amados	hubisteis	sido	amados
fueron	amados	hubieron	sido	amados

Futuro (Bello : Futuro)		Futuro perf. (Bello : Antefuturo)		
seré	amado	habré	sido	amado
serás	amado	habrás	sido	amado
será	amado	habrá	sido	amado
seremos	amados	habremos	sido	amados
seréis	amados	habréis	sido	amados
serán	amados	habrán	sido	amados

Condicional (Bello : Pospretérito)		Condicional perf. (Bello : Antepospretérito)		
sería	amado	habría	sido	amado
serías	amado	habrías	sido	amado
sería	amado	habría	sido	amado
seríamos	amados	habríamos	sido	amados
seríais	amados	habríais	sido	amados
serían	amados	habrían	sido	amados

____ SUBJUNTIVO ____

Presente (Bello : Presente)		Pret. perf. (Bello : Antepresente)		
sea	amado	haya	sido	amado
seas	amado	hayas	sido	amado
sea	amado	haya	sido	amado
seamos	amados	hayamos	sido	amados
seáis	amados	hayáis	sido	amados
sean	amados	hayan	sido	amados

Pret. imperf. (Bello : Pretérito)		Pret. pluscuamp. (Bello : Antepretérito)		
fuera		hubiera		
o fuese	amado	o hubiese	sido	amado
fueras		hubieras		
o fueses	amado	o hubieses	sido	amado
fuera		hubiera		
o fuese	amado	o hubiese	sido	amado
fuéramos		hubiéramos		
o fuésemos	amados	o hubiésemos	sido	amados
fuerais		hubierais		
o fueseis	amados	o hubieseis	sido	amados
fueran		hubieran		
o fuesen	amados	o hubiesen	sido	amados

Futuro (Bello : Futuro)		Futuro perf. (Bello : Antefuturo)		
fuere	amado	hubiere	sido	amado
fueres	amado	hubieres	sido	amado
fuere	amado	hubiere	sido	amado
fuéremos	amados	hubiéremòs	sido	amados
fuereis	amados	hubiereis	sido	amados
fueren	amados	hubieren	sido	amados

____ IMPERATIVO ____

Presente

sé	tú	amado
sea	él	amado
seamos	nosotros	amados
sed	vosotros	amados
sean	ellos	amados

____ FORMAS NO PERSONALES ____

Infinitivo	Infinitivo compuesto
ser amado	haber sido amado
Gerundio	Gerundio compuesto
siendo amado	habiendo sido amado
Participio	
sido amado	

Conjugación pronominal

──── INDICATIVO ────

Presente
(Bello : Presente)

me	lavo
te	lavas
se	lava
nos	lavamos
os	laváis
se	lavan

Pret. perf. comp.
(Bello : Antepresente)

me	he	lavado
te	has	lavado
se	ha	lavado
nos	hemos	lavado
os	habéis	lavado
se	han	lavado

Pret. imperf.
(Bello : Copretérito)

me	lavaba
te	lavabas
se	lavaba
nos	lavábamos
os	lavabais
se	lavaban

Pret. pluscuamp.
(Bello : Antecopretérito)

me	había	lavado
te	habías	lavado
se	había	lavado
nos	habíamos	lavado
os	habíais	lavado
se	habían	lavado

Pret. perf. simple
(Bello : Pretérito)

me	lavé
te	lavaste
se	lavó
nos	lavamos
os	lavasteis
se	lavaron

Pret. anterior
(Bello : Antepretérito)

me	hube	lavado
te	hubiste	lavado
se	hubo	lavado
nos	hubimos	lavado
os	hubisteis	lavado
se	hubieron	lavado

Futuro
(Bello : Futuro)

me	lavaré
te	lavarás
se	lavará
nos	lavaremos
os	lavaréis
se	lavarán

Futuro perf.
(Bello : Antefuturo)

me	habré	lavado
te	habrás	lavado
se	habrá	lavado
nos	habremos	lavado
os	habréis	lavado
se	habrán	lavado

Condicional
(Bello : Pospretérito)

me	lavaría
te	lavarías
se	lavaría
nos	lavaríamos
os	lavaríais
se	lavarían

Condicional perf.
(Bello : Antepospretérito)

me	habría	lavado
te	habrías	lavado
se	habría	lavado
nos	habríamos	lavado
os	habríais	lavado
se	habrían	lavado

──── SUBJUNTIVO ────

Presente
(Bello : Presente)

me	lave
te	laves
se	lave
nos	lavemos
os	lavéis
se	laven

Pret. perf.
(Bello : Antepresente)

me	haya	lavado
te	hayas	lavado
se	haya	lavado
nos	hayamos	lavado
os	hayáis	lavado
se	hayan	lavado

Pret. imperf.
(Bello : Pretérito)

me	lavara
o	lavase
te	lavaras
o	lavases
se	lavara
o	lavase
nos	laváramos
o	lavásemos
os	lavarais
o	lavaseis
se	lavaran
o	lavasen

Pret. pluscuamp.
(Bello : Antepretérito)

me	hubiera	
o	hubiese	lavado
te	hubieras	
o	hubieses	lavado
se	hubiera	
o	hubiese	lavado
nos	hubiéramos	
o	hubiésemos	lavado
os	hubierais	
o	hubieseis	lavado
se	hubieran	
o	hubiesen	lavado

Futuro
(Bello : Futuro)

me	lavare
te	lavares
se	lavare
nos	laváremos
os	lavareis
se	lavaren

Futuro perf.
(Bello : Antefuturo)

me	hubiere	lavado
te	hubieres	lavado
se	hubiere	lavado
nos	hubiéremos	lavado
os	hubiereis	lavado
se	hubieren	lavado

──── IMPERATIVO ────

Presente

lávate	tú
lávese	él
lavémonos	nosotros
lavaos	vosotros
lávense	ellos

──── FORMAS NO PERSONALES ────

Infinitivo	Infinitivo compuesto
lavarse	haberse lavado
Gerundio	Gerundio compuesto
lavándose	habiéndose lavado
Participio	
(no existe)	

1 haber

—— INDICATIVO ——

Presente (Bello : Presente)	Pret. perf. comp. (Bello : Antepresente)	
he	he	habido
has*	has	habido
ha*	ha	habido
hemos	hemos	habido
habéis	habéis	habido
han	han	habido

Pret. imperf. (Bello : Copretérito)	Pret. pluscuamp. (Bello : Antecopretérito)	
había	había	habido
habías	habías	habido
había	había	habido
habíamos	habíamos	habido
habíais	habíais	habido
habían	habían	habido

Pret. perf. simple (Bello : Pretérito)	Pret. anterior (Bello : Antepretérito)	
hube	hube	habido
hubiste	hubiste	habido
hubo	hubo	habido
hubimos	hubimos	habido
hubisteis	hubisteis	habido
hubieron	hubieron	habido

Futuro (Bello : Futuro)	Futuro perf. (Bello : Antefuturo)	
habré	habré	habido
habrás	habrás	habido
habrá	habrá	habido
habremos	habremos	habido
habréis	habréis	habido
habrán	habrán	habido

Condicional (Bello : Pospretérito)	Condicional perf. (Bello : Antepospretérito)	
habría	habría	habido
habrías	habrías	habido
habría	habría	habido
habríamos	habríamos	habido
habríais	habríais	habido
habrían	habrían	habido

—— SUBJUNTIVO ——

Presente (Bello : Presente)	Pret. perf. (Bello : Antepresente)	
haya	haya	habido
hayas	hayas	habido
haya	haya	habido
hayamos	hayamos	habido
hayáis	hayáis	habido
hayan	hayan	habido

Pret. imperf. (Bello : Pretérito)	Pret. pluscuamp. (Bello : Antepretérito)	
hubiera	hubiera	
o hubiese	o hubiese	habido
hubieras	hubieras	
o hubieses	o hubieses	habido
hubiera	hubiera	
o hubiese	o hubiese	habido
hubiéramos	hubiéramos	
o hubiésemos	o hubiésemos	habido
hubierais	hubierais	
o hubieseis	o hubieseis	habido
hubieran	hubieran	
o hubiesen	o hubiesen	habido

Futuro (Bello : Futuro)	Futuro perf. (Bello : Antefuturo)	
hubiere	hubiere	habido
hubieres	hubieres	habido
hubiere	hubiere	habido
hubiéremos	hubiéremos	habido
hubiereis	hubiereis	habido
hubieren	hubieren	habido

—— IMPERATIVO ——

Presente

he	tú
haya	él
hayamos	nosotros
habed	vosotros
hayan	ellos

—— FORMAS NO PERSONALES ——

Infinitivo	Infinitivo compuesto
haber	haber habido

Gerundio	Gerundio compuesto
habiendo	habiendo habido

Participio
habido

* Cuando este verbo se usa impersonalmente, la 3ª persona del singular es *hay*.

24

2 ser

Presente (Bello : Presente)	Pret. perf. comp. (Bello : Antepresente)
soy	he sido
eres	has sido
es	ha sido
somos	hemos sido
sois	habéis sido
son	han sido

Pret. imperf. (Bello : Copretérito)	Pret. pluscuamp. (Bello : Antecopretérito)
era	había sido
eras	habías sido
era	había sido
éramos	habíamos sido
erais	habíais sido
eran	habían sido

Pret. perf. simple (Bello : Pretérito)	Pret. anterior (Bello : Antepretérito)
fui	hube sido
fuiste	hubiste sido
fue	hubo sido
fuimos	hubimos sido
fuisteis	hubisteis sido
fueron	hubieron sido

Futuro (Bello : Futuro)	Futuro perf. (Bello : Antefuturo)
seré	habré sido
serás	habrás sido
será	habrá sido
seremos	habremos sido
seréis	habréis sido
serán	habrán sido

Condicional (Bello : Pospretérito)	Condicional perf. (Bello : Antepospretérito)
sería	habría sido
serías	habrías sido
sería	habría sido
seríamos	habríamos sido
seríais	habríais sido
serían	habrían sido

SUBJUNTIVO

Presente (Bello : Presente)	Pret. perf. (Bello : Antepresente)
sea	haya sido
seas	hayas sido
sea	haya sido
seamos	hayamos sido
seáis	hayáis sido
sean	hayan sido

Pret. imperf. (Bello : Pretérito)	Pret. pluscuamp. (Bello : Antepretérito)
fuera o fuese	hubiera o hubiese sido
fueras o fueses	hubieras o hubieses sido
fuera o fuese	hubiera o hubiese sido
fuéramos o fuésemos	hubiéramos o hubiésemos sido
fuerais o fueseis	hubierais o hubieseis sido
fueran o fuesen	hubieran o hubiesen sido

Futuro (Bello : Futuro)	Futuro perf. (Bello : Antefuturo)
fuere	hubiere sido
fueres	hubieres sido
fuere	hubiere sido
fuéremos	hubiéremos sido
fuereis	hubiereis sido
fueren	hubieren sido

IMPERATIVO

Presente

sé	tú
sea	él
seamos	nosotros
sed	vosotros
sean	ellos

FORMAS NO PERSONALES

Infinitivo	Infinitivo compuesto
ser	haber sido
Gerundio	**Gerundio compuesto**
siendo	habiendo sido
Participio	
sido	

3 amar

_____ INDICATIVO _____

Presente (Bello : Presente)	Pret. perf. comp. (Bello : Antepresente)
amo	he amado
amas	has amado
ama	ha amado
amamos	hemos amado
amáis	habéis amado
aman	han amado

Pret. imperf. (Bello : Copretérito)	Pret. pluscuamp. (Bello : Antecopretérito)
amaba	había amado
amabas	habías amado
amaba	había amado
amábamos	habíamos amado
amabais	habíais amado
amaban	habían amado

Pret. perf. simple (Bello : Preterito)	Pret. anterior (Bello : Antepretérito)
amé	hube amado
amaste	hubiste amado
amó	hubo amado
amamos	hubimos amado
amasteis	hubisteis amado
amaron	hubieron amado

Futuro (Bello : Futuro)	Futuro perf. (Bello : Antefuturo)
amaré	habré amado
amarás	habrás amado
amará	habrá amado
amaremos	habremos amado
amaréis	habréis amado
amarán	habrán amado

Condicional (Bello : Pospretérito)	Condicional perf. (Bello : Antepospretérito)
amaría	habría amado
amarías	habrías amado
amaría	habría amado
amaríamos	habríamos amado
amaríais	habríais amado
amarían	habrían amado

_____ SUBJUNTIVO _____

Presente (Bello : Presente)	Pret. perf. (Bello : Antepresente)
ame	haya amado
ames	hayas amado
ame	haya amado
amemos	hayamos amado
améis	hayáis amado
amen	hayan amado

Pret. imperf. (Bello : Pretérito)	Pret. pluscuamp. (Bello : Antepretérito)
amara o amase	hubiera o hubiese amado
amaras o amases	hubieras o hubieses amado
amara o amase	hubiera o hubiese amado
amáramos o amásemos	hubiéramos o hubiésemos amado
amarais o amaseis	hubierais o hubieseis amado
amaran o amasen	hubieran o hubiesen amado

Futuro (Bello : Futuro)	Futuro perf. (Bello : Antefuturo)
amare	hubiere amado
amares	hubieres amado
amare	hubiere amado
amáremos	hubiéremos amado
amareis	hubiereis amado
amaren	hubieren amado

_____ IMPERATIVO _____

Presente

ama	tú
ame	él
amemos	nosotros
amad	vosotros
amen	ellos

_____ FORMAS NO PERSONALES _____

Infinitivo	Infinitivo compuesto
amar	haber amado
Gerundio	Gerundio compuesto
amando	habiendo amado
Participio	
amado	

4 temer

———— INDICATIVO ————

Presente (Bello : Presente)	Pret. perf. comp. (Bello : Antepresente)	
temo	he	temido
temes	has	temido
teme	ha	temido
tememos	hemos	temido
teméis	habéis	temido
temen	han	temido

Pret. imperf. (Bello : Copretérito)	Pret. pluscuamp. (Bello : Antecopretérito)	
temía	había	temido
temías	habías	temido
temía	había	temido
temíamos	habíamos	temido
temíais	habíais	temido
temían	habían	temido

Pret. perf. simple (Bello : Pretérito)	Pret. anterior (Bello : Antepretérito)	
temí	hube	temido
temiste	hubiste	temido
temió	hubo	temido
temimos	hubimos	temido
temisteis	hubisteis	temido
temieron	hubieron	temido

Futuro (Bello : Futuro)	Futuro perf. (Bello : Antefuturo)	
temeré	habré	temido
temerás	habrás	temido
temerá	habrá	temido
temeremos	habremos	temido
temeréis	habréis	temido
temerán	habrán	temido

Condicional (Bello : Pospretérito)	Condicional perf. (Belló : Antepospretérito)	
temería	habría	temido
temerías	habrías	temido
temería	habría	temido
temeríamos	habríamos	temido
temeríais	habríais	temido
temerían	habrían	temidc

———— SUBJUNTIVO ————

Presente (Bello : Presente)	Pret. perf. (Bello : Antepresente)	
tema	haya	temido
temas	hayas	temido
tema	haya	temido
temamos	hayamos	temido
temáis	hayáis	temido
teman	hayan	temido

Pret. imperf. (Bello : Pretérito)	Pret. pluscuamp. (Bello : Antepretérito)	
temiera	hubiera	
o temiese	o hubiese	temido
temieras	hubieras	
o temieses	o hubieses	temido
temiera	hubiera	
o temiese	o hubiese	temido
temiéramos	hubiéramos	
o temiésemos	o hubiésemos	temido
temierais	hubierais	
o temieseis	o hubieseis	temido
temieran	hubieran	
o temiesen	o hubiesen	temido

Futuro (Bello : Futuro)	Futuro perf. (Bello : Antefuturo)	
temiere	hubiere	temido
temieres	hubieres	temido
temiere	hubiere	temido
temiéremos	hubiéremos	temido
temiereis	hubiereis	temido
temieren	hubieren	temido

———— IMPERATIVO ————

Presente

teme	tú
tema	él
temamos	nosotros
temed	vosotros
teman	ellos

———— FORMAS NO PERSONALES ————

Infinitivo	Infinitivo compuesto
temer	haber temido
Gerundio	Gerundio compuesto
temiendo	habiendo temido
Participio	
temido	

5 partir

Presente (Bello : Presente)	Pret. perf. comp. (Bello : Antepresente)	
parto	he	partido
partes	has	partido
parte	ha	partido
partimos	hemos	partido
partís	habéis	partido
parten	han	partido

Pret. imperf. (Bello : Copretérito)	Pret. pluscuamp. (Bello : Antecopretérito)	
partía	había	partido
partías	habías	partido
partía	había	partido
partíamos	habíamos	partido
partíais	habíais	partido
partían	habían	partido

Pret. perf. simple (Bello : Pretérito)	Pret. anterior (Bello : Antepretérito)	
partí	hube	partido
partiste	hubiste	partido
partió	hubo	partido
partimos	hubimos	partido
partisteis	hubisteis	partido
partieron	hubieron	partido

Futuro (Bello : Futuro)	Futuro perf. (Bello : Antefuturo)	
partiré	habré	partido
partirás	habrás	partido
partirá	habrá	partido
partiremos	habremos	partido
partiréis	habréis	partido
partirán	habrán	partido

Condicional (Bello : Pospretérito)	Condicional perf. (Bello : Antepospretérito)	
partiría	habría	partido
partirías	habrías	partido
partiría	habría	partido
partiríamos	habríamos	partido
partiríais	habríais	partido
partirían	habrían	partido

Presente (Bello : Presente)	Pret. perf. (Bello : Antepresente)	
parta	haya	partido
partas	hayas	partido
parta	haya	partido
partamos	hayamos	partido
partáis	hayáis	partido
partan	hayan	partido

Pret. imperf. (Bello : Pretérito)	Pret. pluscuamp. (Bello : Antepretérito)	
partiera	hubiera	
o partiese	o hubiese	partido
partieras	hubieras	
o partieses	o hubieses	partido
partiera	hubiera	
o partiese	o hubiese	partido
partiéramos	hubiéramos	
o partiésemos	o hubiésemos	partido
partierais	hubierais	
o partieseis	o hubieseis	partido
partieran	hubieran	
o partiesen	o hubiesen	partido

Futuro (Bello : Futuro)	Futuro perf. (Bello : Antefuturo)	
partiere	hubiere	partido
partieres	hubieres	partido
partiere	hubiere	partido
partiéremos	hubiéremos	partido
partiereis	hubiereis	partido
partieren	hubieren	partido

Presente

parte	tú
parta	él
partamos	nosotros
partid	vosotros
partan	ellos

Infinitivo	Infinitivo compuesto
partir	haber partido

Gerundio	Gerundio compuesto
partiendo	habiendo partido

Participio	
partido	

6 pedir

_____ **INDICATIVO** _____   _____ **SUBJUNTIVO** _____

Presente (Bello : Presente)	Pret. perf. comp. (Bello : Antepresente)		Presente (Bello : Presente)	Pret. perf. (Bello : Antepresente)	
pido	he	pedido	pida	haya	pedido
pides	has	pedido	pidas	hayas	pedido
pide	ha	pedido	pida	haya	pedido
pedimos	hemos	pedido	pidamos	hayamos	pedido
pedís	habéis	pedido	pidáis	hayáis	pedido
piden	han	pedido	pidan	hayan	pedido

Pret. imperf. (Bello : Copretérito)	Pret. pluscuamp. (Bello : Antecopretérito)		Pret. imperf. (Bello : Pretérito)	Pret. pluscuamp. (Bello : Antepretérito)	
pedía	había	pedido	pidiera	hubiera	
pedías	habías	pedido	o pidiese	o hubiese	pedido
pedía	había	pedido	pidieras	hubieras	
pedíamos	habíamos	pedido	o pidieses	o hubieses	pedido
pedíais	habíais	pedido	pidiera	hubiera	
pedían	habían	pedido	o pidiese	o hubiese	pedido
			pidiéramos	hubiéramos	
			o pidiésemos	o hubiésemos	pedido
			pidierais	hubierais	
			o pidieseis	o hubieseis	pedido
			pidieran	hubieran	
			o pidiesen	o hubiesen	pedido

Pret. perf simple (Bello : Pretérito)	Pret. anterior (Bello : Antepretérito)	
pedí	hube	pedido
pediste	hubiste	pedido
pidió	hubo	pedido
pedimos	hubimos	pedido
pedisteis	hubisteis	pedido
pidieron	hubieron	pedido

Futuro (Bello : Futuro)	Futuro perf. (Bello : Antefuturo)	
pidiere	hubiere	pedido
pidieres	hubieres	pedido
pidiere	hubiere	pedido
pidiéremos	hubiéremos	pedido
pidiereis	hubiereis	pedido
pidieren	hubieren	pedido

Futuro (Bello : Futuro)	Futuro perf. (Bello : Antefuturo)	
pediré	habré	pedido
pedirás	habrás	pedido
pedirá	habrá	pedido
pediremos	habremos	pedido
pediréis	habréis	pedido
pedirán	habrán	pedido

_____ **IMPERATIVO** _____

Presente

pide	tú
pida	él
pidamos	nosotros
pedid	vosotros
pidan	ellos

Condicional (Bello : Pospretérito)	Condicional perf. (Bello : Antepospretérito)	
pediría	habría	pedido
pedirías	habrías	pedido
pediría	habría	pedido
pediríamos	habríamos	pedido
pediríais	habríais	pedido
pedirían	habrían	pedido

_____ **FORMAS NO PERSONALES** _____

Infinitivo pedir	Infinitivo compuesto haber pedido
Gerundio pidiendo	Gerundio compuesto habiendo pedido
Participio pedido	

7 tañer

INDICATIVO

Presente (Bello : Presente)		Pret. perf. comp. (Bello : Antepresente)	
taño		he	tañido
tañes		has	tañido
tañe		ha	tañido
tañemos		hemos	tañido
tañéis		habéis	tañido
tañen		han	tañido

Pret. imperf. (Bello : Copretérito)		Pret. pluscuamp. (Bello : Antecopretérito)	
tañía		había	tañido
tañías		habías	tañido
tañía		había	tañido
tañíamos		habíamos	tañido
tañíais		habíais	tañido
tañían		habían	tañido

Pret. perf. simple (Bello : Pretérito)		Pret. anterior (Bello : Antepretérito)	
tañí		hube	tañido
tañiste		hubiste	tañido
tañó		hubo	tañido
tañimos		hubimos	tañido
tañisteis		hubisteis	tañido
tañeron		hubieron	tañido

Futuro (Bello : Futuro)		Futuro perf. (Bello : Antefuturo)	
tañeré		habré	tañido
tañerás		habrás	tañido
tañerá		habrá	tañido
tañeremos		habremos	tañido
tañeréis		habréis	tañido
tañerán		habrán	tañido

Condicional (Bello : Pospretérito)		Condicional perf. (Bello : Antepospretérito)	
tañería		habría	tañido
tañerías		habrías	tañido
tañería		habría	tañido
tañeríamos		habríamos	tañido
tañeríais		habríais	tañido
tañerían		habrían	tañido

SUBJUNTIVO

Presente (Bello : Presente)		Pret. perf. (Bello : Antepresente)	
taña		haya	tañido
tañas		hayas	tañido
taña		haya	tañido
tañamos		hayamos	tañido
tañáis		hayáis	tañido
tañan		hayan	tañido

Pret. imperf. (Bello : Pretérito)		Pret. pluscuamp. (Bello : Antepretérito)	
tañera		hubiera	
o tañese		o hubiese	tañido
tañeras		hubieras	
o tañeses		o hubieses	tañido
tañera		hubiera	
o tañese		o hubiese	tañido
tañéramos		hubiéramos	
o tañésemos		o hubiésemos	tañido
tañerais		hubierais	
o tañeseis		o hubieseis	tañido
tañeran		hubieran	
o tañesen		o hubiesen	tañido

Futuro (Bello : Futuro)		Futuro perf. (Bello : Antefuturo)	
tañere		hubiere	tañido
tañeres		hubieres	tañido
tañere		hubiere	tañido
tañéremos		hubiéremos	tañido
tañereis		hubiereis	tañido
tañeren		hubieren	tañido

IMPERATIVO

Presente	
tañe	tú
taña	él
tañamos	nosotros
tañed	vosotros
tañan	ellos

FORMAS NO PERSONALES

Infinitivo	Infinitivo compuesto
tañer	haber tañido

Gerundio	Gerundio compuesto
tañendo	habiendo tañido

Participio	
tañido	

8 teñir

Presente (Bello : Presente)	Pret. perf. comp. (Bello : Antepresente)	
tiño	he	teñido
tiñes	has	teñido
tiñe	ha	teñido
teñimos	hemos	teñido
teñís	habéis	teñido
tiñen	han	teñido

Pret. imperf. (Bello : Copretérito)	Pret. pluscuamp. (Bello : Antecopretérito)	
teñía	había	teñido
teñías	habías	teñido
teñía	había	teñido
teñíamos	habíamos	teñido
teñíais	habíais	teñido
teñían	habían	teñido

Pret. perf. simple (Bello : Pretérito)	Pret. anterior (Bello : Antepretérito)	
teñí	hube	teñido
teñiste	hubiste	teñido
tiñó	hubo	teñido
teñimos	hubimos	teñido
teñisteis	hubisteis	teñido
tiñeron	hubieron	teñido

Futuro (Bello : Futuro)	Futuro perf. (Bello : Antefuturo)	
teñiré	habré	teñido
teñirás	habrás	teñido
teñirá	habrá	teñido
teñiremos	habremos	teñido
teñiréis	habréis	teñido
teñirán	habrán	teñido

Condicional (Bello : Pospretérito)	Condicional perf. (Bello : Antepospretérito)	
teñiría	habría	teñido
teñirías	habrías	teñido
teñiría	habría	teñido
teñiríamos	habríamos	teñido
teñiríais	habríais	teñido
teñirían	habrían	teñido

Presente (Bello : Presente)	Pret. perf. (Bello : Antepresente)	
tiña	haya	teñido
tiñas	hayas	teñido
tiña	haya	teñido
tiñamos	hayamos	teñido
tiñáis	hayáis	teñido
tiñan	hayan	teñido

Pret. imperf. (Bello : Pretérito)	Pret. pluscuamp. (Bello : Antepretérito)	
tiñera	hubiera	
o tiñese	o hubiese	teñido
tiñeras	hubieras	
o tiñeses	o hubieses	teñido
tiñera	hubiera	
o tiñese	o hubiese	teñido
tiñéramos	hubiéramos	
o tiñésemos	o hubiésemos	teñido
tiñerais	hubierais	
o tiñeseis	o hubieseis	teñido
tiñeran	hubieran	
o tiñesen	o hubiesen	teñido

Futuro (Bello : Futuro)	Futuro perf. (Bello : Antefuturo)	
tiñere	hubiere	teñido
tiñeres	hubieres	teñido
tiñere	hubiere	teñido
tiñéremos	hubiéremos	teñido
tiñereis	hubiereis	teñido
tiñeren	hubieren	teñido

_____ IMPERATIVO _____

Presente

tiñe	tú
tiña	él
tiñamos	nosotros
teñid	vosotros
tiñan	ellos

_____ FORMAS NO PERSONALES _____

Infinitivo	Infinitivo compuesto
teñir	haber teñido
Gerundio	Gerundio compuesto
tiñendo	habiendo teñido
Participio	
teñido	

9 bruñir

Presente (Bello : Presente)	Pret. perf. comp. (Bello : Antepresente)	
bruño	he	bruñido
bruñes	has	bruñido
bruñe	ha	bruñido
bruñimos	hemos	bruñido
bruñís	habéis	bruñido
bruñen	han	bruñido

Pret. imperf. (Bello : Copretérito)	Pret. pluscuamp. (Bello : Antecopretérito)	
bruñía	había	bruñido
bruñías	habías	bruñido
bruñía	había	bruñido
bruñíamos	habíamos	bruñido
bruñíais	habíais	bruñido
bruñían	habían	bruñido

Pret. perf. simple (Bello : Pretérito)	Pret. anterior (Bello : Antepretérito)	
bruñí	hube	bruñido
bruñiste	hubiste	bruñido
bruñó	hubo	bruñido
bruñimos	hubimos	bruñido
bruñisteis	hubisteis	bruñido
bruñeron	hubieron	bruñido

Futuro (Bello : Futuro)	Futuro perf. (Bello : Antefuturo)	
bruñiré	habré	bruñido
bruñirás	habrás	bruñido
bruñirá	habrá	bruñido
bruñiremos	habremos	bruñido
bruñiréis	habréis	bruñido
bruñirán	habrán	bruñido

Condicional (Bello : Pospretérito)	Condicional perf. (Bello : Antepospretérito)	
bruñiría	habría	bruñido
bruñirías	habrías	bruñido
bruñiría	habría	bruñido
bruñiríamos	habríamos	bruñido
bruñiríais	habríais	bruñido
bruñirían	habrían	bruñido

Presente (Bello : Presente)	Pret. perf. (Bello : Antepresente)	
bruña	haya	bruñido
bruñas	hayas	bruñido
bruña	haya	bruñido
bruñamos	hayamos	bruñido
bruñáis	hayáis	bruñido
bruñan	hayan	bruñido

Pret. imperf. (Bello : Pretérito)	Pret. pluscuamp. (Bello : Antepretérito)	
bruñera	hubiera	
o bruñese	o hubiese	bruñido
bruñeras	hubieras	
o bruñeses	o hubieses	bruñido
bruñera	hubiera	
o bruñese	o hubiese	bruñido
bruñéramos	hubiéramos	
o bruñésemos	o hubiésemos	bruñido
bruñerais	hubierais	
o bruñeseis	o hubieseis	bruñido
bruñeran	hubieran	
o bruñesen	o hubiesen	bruñido

Futuro (Bello : Futuro)	Futuro perf. (Bello : Antefuturo)	
bruñere	hubiere	bruñido
bruñeres	hubieres	bruñido
bruñere	hubiere	bruñido
bruñéremos	hubiéremos	bruñido
bruñereis	hubiereis	bruñido
bruñeren	hubieren	bruñido

Presente

bruñe	tú
bruña	él
bruñamos	nosotros
bruñid	vosotros
bruñan	ellos

Infinitivo	Infinitivo compuesto
bruñir	haber bruñido

Gerundio	Gerundio compuesto
bruñendo	habiendo bruñido

Participio	
bruñido	

10 reír

INDICATIVO

Presente (Bello : Presente)	Pret. perf. comp. (Bello : Antepresente)	
río	he	reído
ríes	has	reído
ríe	ha	reído
reímos	hemos	reído
reís	habéis	reído
ríen	han	reído

Pret. imperf. (Bello : Copretérito)	Pret. pluscuamp. (Bello : Antecopretérito)	
reía	había	reído
reías	habías	reído
reía	había	reído
reíamos	habíamos	reído
reíais	habíais	reído
reían	habían	reído

Pret. perf. simple (Bello : Pretérito)	Pret. anterior (Bello : Antepretérito)	
reí	hube	reído
reíste	hubiste	reído
rió	hubo	reído
reímos	hubimos	reído
reísteis	hubisteis	reído
rieron	hubieron	reído

Futuro (Bello : Futuro)	Futuro perf. (Bello : Antefuturo)	
reiré	habré	reído
reirás	habrás	reído
reirá	habrá	reído
reiremos	habremos	reído
reiréis	habréis	reído
reirán	habrán	reído

Condicional (Bello : Pospretérito)	Condicional perf. (Bello : Antepospretérito)	
reiría	habría	reído
reirías	habrías	reído
reiría	habría	reído
reiríamos	habríamos	reído
reiríais	habríais	reído
reirían	habrían	reído

SUBJUNTIVO

Presente (Bello : Presente)	Pret. perf. (Bello : Antepresente)	
ría	haya	reído
rías	hayas	reído
ría	haya	reído
riamos	hayamos	reído
riáis	hayáis	reído
rían	hayan	reído

Pret. imperf. (Bello : Pretérito)	Pret. pluscuamp. (Bello : Antepretérito)	
riera	hubiera	
o riese	o hubiese	reído
rieras	hubieras	
o rieses	o hubieses	reído
riera	hubiera	
o riese	o hubiese	reído
riéramos	hubiéramos	
o riésemos	o hubiésemos	reído
rierais	hubierais	
o rieseis	o hubieseis	reído
rieran	hubieran	
o riesen	o hubiesen	reído

Futuro (Bello : Futuro)	Futuro perf. (Bello : Antefuturo)	
riere	hubiere	reído
rieres	hubieres	reído
riere	hubiere	reído
riéremos	hubiéremos	reído
riereis	hubiereis	reído
rieren	hubieren	reído

IMPERATIVO

Presente

ríe	tú
ría	él
riamos	nosotros
reíd	vosotros
rían	ellos

FORMAS NO PERSONALES

Infinitivo	Infinitivo compuesto
reír	haber reído
Gerundio	Gerundio compuesto
riendo	habiendo reído
Participio	
reído	

11 acertar

Presente (Bello : Presente)		Pret. perf. comp. (Bello : Antepresente)	
acierto		he	acertado
aciertas		has	acertado
acierta		ha	acertado
acertamos		hemos	acertado
acertáis		habéis	acertado
aciertan		han	acertado

Pret. imperf. (Bello : Copretérito)		Pret. pluscuamp. (Bello : Antecopretérito)	
acertaba		había	acertado
acertabas		habías	acertado
acertaba		había	acertado
acertábamos		habíamos	acertado
acertabais		habíais	acertado
acertaban		habían	acertado

Pret. perf. simple (Bello : Pretérito)		Pret. anterior (Bello : Antepretérito)	
acerté		hube	acertado
acertaste		hubiste	acertado
acertó		hubo	acertado
acertamos		hubimos	acertado
acertasteis		hubisteis	acertado
acertaron		hubieron	acertado

Futuro (Bello : Futuro)		Futuro perf. (Bello : Antefuturo)	
acertaré		habré	acertado
acertarás		habrás	acertado
acertará		habrá	acertado
acertaremos		habremos	acertado
acertaréis		habréis	acertado
acertarán		habrán	acertado

Condicional (Bello : Pospretérito)		Condicional perf. (Bello : Antepospretérito)	
acertaría		habría	acertado
acertarías		habrías	acertado
acertaría		habría	acertado
acertaríamos		habríamos	acertado
acertaríais		habríais	acertado
acertarían		habrían	acertado

Presente (Bello : Presente)		Pret. perf. (Bello : Antepresente)	
acierte		haya	acertado
aciertes		hayas	acertado
acierte		haya	acertado
acertemos		hayamos	acertado
acertéis		hayáis	acertado
acierten		hayan	acertado

Pret. imperf. (Bello : Pretérito)		Pret. pluscuamp. (Bello : Antepretérito)	
acertara		hubiera	
o acertase		o hubiese	acertado
acertaras		hubieras	
o acertases		o hubieses	acertado
acertara		hubiera	
o acertase		o hubiese	acertado
acertáramos		hubiéramos	
o acertásemos		o hubiésemos	acertado
acertarais		hubierais	
o acertaseis		o hubieseis	acertado
acertaran		hubieran	
o acertasen		o hubiesen	acertado

Futuro (Bello : Futuro)		Futuro perf. (Bello : Antefuturo)	
acertare		hubiere	acertado
acertares		hubieres	acertado
acertare		hubiere	acertado
acertáremos		hubiéremos	acertado
acertareis		hubiereis	acertado
acertaren		hubieren	acertado

Presente

acierta	tú
acierte	él
acertemos	nosotros
acertad	vosotros
acierten	ellos

Infinitivo	Infinitivo compuesto
acertar	haber acertado

Gerundio	Gerundio compuesto
acertando	habiendo acertado

Participio	
acertado	

12 errar

Presente (Bello : Presente)		Pret. perf. comp. (Bello : Antepresente)	
yerro		he	errado
yerras		has	errado
yerra		ha	errado
erramos		hemos	errado
erráis		habéis	errado
yerran		han	errado

Pret. imperf. (Bello : Copretérito)		Pret. pluscuamp. (Bello : Antecopretérito)	
erraba		había	errado
errabas		habías	errado
erraba		había	errado
errábamos		habíamos	errado
errabais		habíais	errado
erraban		habían	errado

Pret. perf. simple (Bello : Pretérito)		Pret. anterior (Bello : Antepretérito)	
erré		hube	errado
erraste		hubiste	errado
erró		hubo	errado
erramos		hubimos	errado
errasteis		hubisteis	errado
erraron		hubieron	errado

Futuro (Bello : Futuro)		Futuro perf. (Bello : Antefuturo)	
erraré		habré	errado
errarás		habrás	errado
errará		habrá	errado
erraremos		habremos	errado
erraréis		habréis	errado
errarán		habrán	errado

Condicional (Bello : Pospretérito)		Condicional perf. (Bello : Antepospretérito)	
erraría		habría	errado
errarías		habrías	errado
erraría		habría	errado
erraríamos		habríamos	errado
erraríais		habríais	errado
errarían		habrían	errado

Presente (Bello : Presente)		Pret. perf. (Bello : Antepresente)	
yerre		haya	errado
yerres		hayas	errado
yerre		haya	errado
erremos		hayamos	errado
erréis		hayáis	errado
yerren		hayan	errado

Pret. imperf. (Bello : Pretérito)		Pret. pluscuamp. (Bello : Antepretérito)	
errara		hubiera	
o errase		o hubiese	errado
erraras		hubieras	
o errases		o hubieses	errado
errara		hubiera	
o errase		o hubiese	errado
erráramos		hubiéramos	
o errásemos		o hubiésemos	errado
errarais		hubierais	
o erraseis		o hubieseis	errado
erraran		hubieran	
o errasen		o hubiesen	errado

Futuro (Bello : Futuro)		Futuro perf. (Bello : Antefuturo)	
errare		hubiere	errado
errares		hubieres	errado
errare		hubiere	errado
erráremos		hubiéremos	errado
errareis		hubiereis	errado
erraren		hubieren	errado

IMPERATIVO

Presente

yerra	tú
yerre	él
erremos	nosotros
errad	vosotros
yerren	ellos

FORMAS NO PERSONALES

Infinitivo	Infinitivo compuesto
errar	haber errado
Gerundio	Gerundio compuesto
errando	habiendo errado
Participio	
errado	

13 tender

Presente
(Bello : Presente)

tiendo
tiendes
tiende
tendemos
tendéis
tienden

Pret. perf. comp.
(Bello : Antepresente)

he tendido
has tendido
ha tendido
hemos tendido
habéis tendido
han tendido

Pret. imperf.
(Bello : Copretérito)

tendía
tendías
tendía
tendíamos
tendíais
tendían

Pret. pluscuamp.
(Bello : Antecopretérito)

había tendido
habías tendido
había tendido
habíamos tendido
habíais tendido
habían tendido

Pret. perf. simple
(Bello : Pretérito)

tendí
tendiste
tendió
tendimos
tendisteis
tendieron

Pret. anterior
(Bello : Antepretérito)

hube tendido
hubiste tendido
hubo tendido
hubimos tendido
hubisteis tendido
hubieron tendido

Futuro
(Bello : Futuro)

tenderé
tenderás
tenderá
tenderemos
tenderéis
tenderán

Futuro perf.
(Bello : Antefuturo)

habré tendido
habrás tendido
habrá tendido
habremos tendido
habréis tendido
habrán tendido

Condicional
(Bello : Pospretérito)

tendería
tenderías
tendería
tenderíamos
tenderíais
tenderían

Condicional perf.
(Bello : Antepospretérito)

habría tendido
habrías tendido
habría tendido
habríamos tendido
habríais tendido
habrían tendido

── SUBJUNTIVO ──

Presente
(Bello : Presente)

tienda
tiendas
tienda
tendamos
tendáis
tiendan

Pret. perf.
(Bello : Antepresente)

haya tendido
hayas tendido
haya tendido
hayamos tendido
hayáis tendido
hayan tendido

Pret. imperf.
(Bello : Pretérito)

tendiera
o tendiese
tendieras
o tendieses
tendiera
o tendiese
tendiéramos
o tendiésemos
tendierais
o tendieseis
tendieran
o tendiesen

Pret. pluscuamp.
(Bello : Antepretérito)

hubiera
o hubiese tendido
hubieras
o hubieses tendido
hubiera
o hubiese tendido
hubiéramos
o hubiésemos tendido
hubierais
o hubieseis tendido
hubieran
o hubiesen tendido

Futuro
(Bello : Futuro)

tendiere
tendieres
tendiere
tendiéremos
tendiereis
tendieren

Futuro perf.
(Bello : Antefuturo)

hubiere tendido
hubieres tendido
hubiere tendido
hubiéremos tendido
hubiereis tendido
hubieren tendido

── IMPERATIVO ──

Presente

tiende tú
tienda él
tendamos nosotros
tended vosotros
tiendan ellos

── FORMAS NO PERSONALES ──

Infinitivo
tender

Infinitivo compuesto
haber tendido

Gerundio
tendiendo

Gerundio compuesto
habiendo tendido

Participio
tendido

14 querer

INDICATIVO

Presente (Bello : Presente)	Pret. perf. comp. (Bello : Antepresente)	
quiero	he	querido
quieres	has	querido
quiere	ha	querido
queremos	hemos	querido
queréis	habéis	querido
quieren	han	querido

Pret. imperf. (Bello : Copretérito)	Pret. pluscuamp. (Bello : Antecopretérito)	
quería	había	querido
querías	habías	querido
quería	había	querido
queríamos	habíamos	querido
queríais	habíais	querido
querían	habían	querido

Pret. perf. simple (Bello : Pretérito)	Pret. anterior (Bello : Antepretérito)	
quise	hube	querido
quisiste	hubiste	querido
quiso	hubo	querido
quisimos	hubimos	querido
quisisteis	hubisteis	querido
quisieron	hubieron	querido

Futuro (Bello : Futuro)	Futuro perf. (Bello : Antefuturo)	
querré	habré	querido
querrás	habrás	querido
querrá	habrá	querido
querremos	habremos	querido
querréis	habréis	querido
querrán	habrán	querido

Condicional (Bello : Pospretérito)	Condicional perf. (Bello : Antepospretérito)	
querría	habría	querido
querrías	habrías	querido
querría	habría	querido
querríamos	habríamos	querido
querríais	habríais	querido
querrían	habrían	querido

SUBJUNTIVO

Presente (Bello : Presente)	Pret. perf. (Bello : Antepresente)	
quiera	haya	querido
quieras	hayas	querido
quiera	haya	querido
queramos	hayamos	querido
queráis	hayáis	querido
quieran	hayan	querido

Pret. imperf. (Bello : Pretérito)	Pret. pluscuamp. (Bello : Antepretérito)	
quisiera	hubiera	
o quisiese	o hubiese	querido
quisieras	hubieras	
o quisieses	o hubieses	querido
quisiera	hubiera	
o quisiese	o hubiese	querido
quisiéramos	hubiéramos	
o quisiésemos	o hubiésemos	querido
quisierais	hubierais	
o quisieseis	o hubieseis	querido
quisieran	hubieran	
o quisiesen	o hubiesen	querido

Futuro (Bello : Futuro)	Futuro perf. (Bello : Antefuturo)	
quisiere	hubiere	querido
quisieres	hubieres	querido
quisiere	hubiere	querido
quisiéremos	hubiéremos	querido
quisiereis	hubiereis	querido
quisieren	hubieren	querido

IMPERATIVO

Presente

quiere	tú
quiera	él
queramos	nosotros
quered	vosotros
quieran	ellos

FORMAS NO PERSONALES

Infinitivo	Infinitivo compuesto
querer	haber querido
Gerundio	Gerundio compuesto
queriendo	habiendo querido
Participio	
querido	

15 tener

—— INDICATIVO ——

Presente (Bello : Presente)	Pret. perf. comp. (Bello : Antepresente)	
tengo	he	tenido
tienes	has	tenido
tiene	ha	tenido
tenemos	hemos	tenido
tenéis	habéis	tenido
tienen	han	tenido

Pret. imperf. (Bello : Copretérito)	Pret. pluscuamp. (Bello : Antecopretérito)	
tenía	había	tenido
tenías	habías	tenido
tenía	había	tenido
teníamos	habíamos	tenido
teníais	habíais	tenido
tenían	habían	tenido

Pret. perf. simple (Bello : Pretérito)	Pret. anterior (Bello : Antepretérito)	
tuve	hube	tenido
tuviste	hubiste	tenido
tuvo	hubo	tenido
tuvimos	hubimos	tenido
tuvisteis	hubisteis	tenido
tuvieron	hubieron	tenido

Futuro (Bello : Futuro)	Futuro perf. (Bello : Antefuturo)	
tendré	habré	tenido
tendrás	habrás	tenido
tendrá	habrá	tenido
tendremos	habremos	tenido
tendréis	habréis	tenido
tendrán	habrán	tenido

Condicional (Bello : Pospretérito)	Condicional perf. (Bello : Antepospretérito)	
tendría	habría	tenido
tendrías	habrías	tenido
tendría	habría	tenido
tendríamos	habríamos	tenido
tendríais	habríais	tenido
tendrían	habrían	tenido

—— SUBJUNTIVO ——

Presente (Bello : Presente)	Pret. perf. (Bello : Antepresente)	
tenga	haya	tenido
tengas	hayas	tenido
tenga	haya	tenido
tengamos	hayamos	tenido
tengáis	hayáis	tenido
tengan	hayan	tenido

Pret. imperf. (Bello : Pretérito)	Pret. pluscuamp. (Bello : Antepretérito)	
tuviera	hubiera	
o tuviese	o hubiese	tenido
tuvieras	hubieras	
o tuvieses	o hubieses	tenido
tuviera	hubiera	
o tuviese	o hubiese	tenido
tuviéramos	hubiéramos	
o tuviésemos	o hubiésemos	tenido
tuvierais	hubierais	
o tuvieseis	o hubieseis	tenido
tuvieran	hubieran	
o tuviesen	o hubiesen	tenido

Futuro (Bello : Futuro)	Futuro perf. (Bello : Antefuturo)	
tuviere	hubiere	tenido
tuvieres	hubieres	tenido
tuviere	hubiere	tenido
tuviéremos	hubiéremos	tenido
tuviereis	hubiereis	tenido
tuvieren	hubieren	tenido

—— IMPERATIVO ——

Presente

ten	tú
tenga	él
tengamos	nosotros
tened	vosotros
tengan	ellos

—— FORMAS NO PERSONALES ——

Infinitivo	Infinitivo compuesto
tener	haber tenido

Gerundio	Gerundio compuesto
teniendo	habiendo tenido

Participio	
tenido	

16 poner

INDICATIVO

Presente (Bello : Presente)	Pret. perf. comp. (Bello : Antepresente)		
pongo	he	puesto
pones	has	puesto
pone	ha	puesto
ponemos	hemos	puesto
ponéis	habéis	puesto
ponen	han	puesto

Pret. imperf. (Bello : Copretérito)	Pret. pluscuamp. (Bello : Antecopretérito)	
ponía	había	puesto
ponías	habías	puesto
ponía	había	puesto
poníamos	habíamos	puesto
poníais	habíais	puesto
ponían	habían	puesto

Pret. perf. simple (Bello : Pretérito)	Pret. anterior (Bello : Antepretérito)	
puse	hube	puesto
pusiste	hubiste	puesto
puso	hubo	puesto
pusimos	hubimos	puesto
pusisteis	hubisteis	puesto
pusieron	hubieron	puesto

Futuro (Bello : Futuro)	Futuro perf. (Bello : Antefuturo)	
pondré	habré	puesto
pondrás	habrás	puesto
pondrá	habrá	puesto
pondremos	habremos	puesto
pondréis	habréis	puesto
pondrán	habrán	puesto

Condicional (Bello : Pospretérito)	Condicional perf. (Bello : Antepospretérito)	
pondría	habría	puesto
pondrías	habrías	puesto
pondría	habría	puesto
pondríamos	habríamos	puesto
pondríais	habríais	puesto
pondrían	habrían	puesto

SUBJUNTIVO

Presente (Bello : Presente)	Pret. perf. (Bello : Antepresente)	
ponga	haya	puesto
pongas	hayas	puesto
ponga	haya	puesto
pongamos	hayamos	puesto
pongáis	hayáis	puesto
pongan	hayan	puesto

Pret. imperf. (Bello : Pretérito)	Pret. pluscuamp. (Bello : Antepretérito)	
pusiera	hubiera	
o pusiese	o hubiese	puesto
pusieras	hubieras	
o pusieses	o hubieses	puesto
pusiera	hubiera	
o pusiese	o hubiese	puesto
pusiéramos	hubiéramos	
o pusiésemos	o hubiésemos	puesto
pusierais	hubierais	
o pusieseis	o hubieseis	puesto
pusieran	hubieran	
o pusiesen	o hubiesen	puesto

Futuro (Bello : Futuro)	Futuro perf. (Bello : Antefuturo)	
pusiere	hubiere	puesto
pusieres	hubieres	puesto
pusiere	hubiere	puesto
pusiéremos	hubiéremos	puesto
pusiereis	hubiereis	puesto
pusieren	hubieren	puesto

IMPERATIVO

Presente

pon	tú
ponga	él
pongamos	nosotros
poned	vosotros
pongan	ellos

FORMAS NO PERSONALES

Infinitivo	Infinitivo compuesto
poner	haber puesto
Gerundio	Gerundio compuesto
poniendo	habiendo puesto
Participio	
puesto	

17 discernir

INDICATIVO

Presente (Bello : Presente)	Pret. perf. comp. (Bello : Antepresente)	
discierno	he	discernido
disciernes	has	discernido
discierne	ha	discernido
discernimos	hemos	discernido
discernís	habéis	discernido
disciernen	han	discernido

Pret. imperf. (Bello : Copretérito)	Pret. pluscuamp. (Bello : Antecopretérito)	
discernía	había	discernido
discernías	habías	discernido
discernía	había	discernido
discerníamos	habíamos	discernido
discerníais	habíais	discernido
discernían	habían	discernido

Pret. perf. simple (Bello : Pretérito)	Pret. anterior (Bello : Antepretérito)	
discerní	hube	discernido
discerniste	hubiste	discernido
discernió	hubo	discernido
discernimos	hubimos	discernido
discernisteis	hubisteis	discernido
discernieron	hubieron	discernido

Futuro (Bello : Futuro)	Futuro perf. (Bello : Antefuturo)	
discerniré	habré	discernido
discernirás	habrás	discernido
discernirá	habrá	discernido
discerniremos	habremos	discernido
discerniréis	habréis	discernido
discernirán	habrán	discernido

Condicional (Bello : Pospretérito)	Condicional perf. (Bello : Antepospretérito)	
discerniría	habría	discernido
discernirías	habrías	discernido
discerniría	habría	discernido
discerniríamos	habríamos	discernido
discerniríais	habríais	discernido
discernirían	habrían	discernido

SUBJUNTIVO

Presente (Bello : Presente)	Pret. perf. (Bello : Antepresente)	
discierna	haya	discernido
disciernas	hayas	discernido
discierna	haya	discernido
discernamos	hayamos	discernido
discernáis	hayáis	discernido
disciernan	hayan	discernido

Pret. imperf. (Bello : Pretérito)	Pret. pluscuamp. (Bello : Antepretérito)	
discerniera o discerniese	hubiera o hubiese	discernido
discernieras o discernieses	hubieras o hubieses	discernido
discerniera o discerniese	hubiera o hubiese	discernido
discerniéramos o discerniésemos	hubiéramos o hubiésemos	discernido
discernierais o discernieseis	hubierais o hubieseis	discernido
discernieran o discerniesen	hubieran o hubiesen	discernido

Futuro (Bello : Futuro)	Futuro perf. (Bello : Antefuturo)	
discerniere	hubiere	discernido
discernieres	hubieres	discernido
discerniere	hubiere	discernido
discerniéremos	hubiéremos	discernido
discerniereis	hubiereis	discernido
discernieren	hubieren	discernido

IMPERATIVO

Presente

discierne	tú
discierna	él
discernamos	nosotros
discernid	vosotros
disciernan	ellos

FORMAS NO PERSONALES

Infinitivo discernir	Infinitivo compuesto haber discernido
Gerundio discerniendo	Gerundio compuesto habiendo discernido
Participio discernido	

18 venir

____ INDICATIVO ____

Presente (Bello : Presente)	Pret. perf. comp. (Bello : Antepresente)	
vengo	he	venido
vienes	has	venido
viene	ha	venido
venimos	hemos	venido
venís	habéis	venido
vienen	han	venido

Pret. imperf. (Bello : Copretérito)	Pret. pluscuamp. (Bello : Antecopretérito)	
venía	había	venido
venías	habías	venido
venía	había	venido
veníamos	habíamos	venido
veníais	habíais	venido
venían	habían	venido

Pret. perf. simple (Bello : Pretérito)	Pret. anterior (Bello : Antepretérito)	
vine	hube	venido
viniste	hubiste	venido
vino	hubo	venido
vinimos	hubimos	venido
vinisteis	hubisteis	venido
vinieron	hubieron	venido

Futuro (Bello : Futuro)	Futuro perf. (Bello : Antefuturo)	
vendré	habré	venido
vendrás	habrás	venido
vendrá	habrá	venido
vendremos	habremos	venido
vendréis	habréis	venido
vendrán	habrán	venido

Condicional (Bello : Pospretérito)	Condicional perf. (Bello : Antepospretérito)	
vendría	habría	venido
vendrías	habrías	venido
vendría	habría	venido
vendríamos	habríamos	venido
vendríais	habríais	venido
vendrían	habrían	venido

____ SUBJUNTIVO ____

Presente (Bello : Presente)	Pret. perf. (Bello : Antepresente)	
venga	haya	venido
vengas	hayas	venido
venga	haya	venido
vengamos	hayamos	venido
vengáis	hayáis	venido
vengan	hayan	venido

Pret. imperf. (Bello : Pretérito)	Pret. pluscuamp. (Bello : Antepretérito)	
viniera	hubiera	
o viniese	o hubiese	venido
vinieras	hubieras	
o vinieses	o hubieses	venido
viniera	hubiera	
o viniese	o hubiese	venido
viniéramos	hubiéramos	
o viniésemos	o hubiésemos	venido
vinierais	hubierais	
o vinieseis	o hubieseis	venido
vinieran	hubieran	
o viniesen	o hubiesen	venido

Futuro (Bello : Futuro)	Futuro perf. (Bello : Antefuturo)	
viniere	hubiere	venido
vinieres	hubieres	venido
viniere	hubiere	venido
viniéremos	hubiéremos	venido
viniereis	hubiereis	venido
vinieren	hubieren	venido

____ IMPERATIVO ____

Presente

ven	tú
venga	él
vengamos	nosotros
venid	vosotros
vengan	ellos

____ FORMAS NO PERSONALES ____

Infinitivo	Infinitivo compuesto
venir	haber venido
Gerundio	Gerundio compuesto
viniendo	habiendo venido
Participio	
venido	

19 sonar

___ INDICATIVO ___

Presente (Bello : Presente)	Pret. perf. comp. (Bello : Antepresente)		
sueno	he	sonado
suenas	has	sonado
suena	ha	sonado
sonamos	hemos	sonado
sonáis	habéis	sonado
suenan	han	sonado

Pret. imperf. (Bello : Copretérito)	Pret. pluscuamp. (Bello : Antecopretérito)	
sonaba	había	sonado
sonabas	habías	sonado
sonaba	había	sonado
sonábamos	habíamos	sonado
sonabais	habíais	sonado
sonaban	habían	sonado

Pret. perf. simple (Bello : Pretérito)	Pret. anterior (Bello : Antepretérito)	
soné	hube	sonado
sonaste	hubiste	sonado
sonó	hubo	sonado
sonamos	hubimos	sonado
sonasteis	hubisteis	sonado
sonaron	hubieron	sonado

Futuro (Bello : Futuro)	Futuro perf. (Bello : Antefuturo)	
sonaré	habré	sonado
sonarás	habrás	sonado
sonará	habrá	sonado
sonaremos	habremos	sonado
sonaréis	habréis	sonado
sonarán	habrán	sonado

Condicional (Bello : Pospretérito)	Condicional perf. (Bello : Antepospretérito)	
sonaría	habría	sonado
sonarías	habrías	sonado
sonaría	habría	sonado
sonaríamos	habríamos	sonado
sonaríais	habríais	sonado
sonarían	habrían	sonado

___ SUBJUNTIVO ___

Presente (Bello : Presente)	Pret. perf. (Bello : Antepresente)	
suene	haya	sonado
suenes	hayas	sonado
suene	haya	sonado
sonemos	hayamos	sonado
sonéis	hayáis	sonado
suenen	hayan	sonado

Pret. imperf. (Bello : Pretérito)	Pret. pluscuamp. (Bello : Antepretérito)	
sonara	hubiera	
o sonase	o hubiese	sonado
sonaras	hubieras	
o sonases	o hubieses	sonado
sonara	hubiera	
o sonase	o hubiese	sonado
sonáramos	hubiéramos	
o sonásemos	o hubiésemos	sonado
sonarais	hubierais	
o sonaseis	o hubieseis	sonado
sonaran	hubieran	
o sonasen	o hubiesen	sonado

Futuro (Bello : Futuro)	Futuro perf. (Bello : Antefuturo)	
sonare	hubiere	sonado
sonares	hubieres	sonado
sonare	hubiere	sonado
sonáremos	hubiéremos	sonado
sonareis	hubiereis	sonado
sonaren	hubieren	sonado

___ IMPERATIVO ___

Presente	
suena	tú
suene	él
sonemos	nosotros
sonad	vosotros
suenen	ellos

___ FORMAS NO PERSONALES ___

Infinitivo	Infinitivo compuesto
sonar	haber sonado
Gerundio	Gerundio compuesto
sonando	habiendo sonado
Participio	
sonado	

20 desosar

INDICATIVO

Presente (Bello : Presente)	Pret. perf. comp. (Bello : Antepresente)	
deshueso	he	desosado
deshuesas	has	desosado
deshuesa	ha	desosado
desosamos	hemos	desosado
desosáis	habéis	desosado
deshuesan	han	desosado

Pret. imperf. (Bello : Copretérito)	Pret. pluscuamp. (Bello : Antecopretérito)	
desosaba	había	desosado
desosabas	habías	desosado
desosaba	había	desosado
desosábamos	habíamos	desosado
desosabais	habíais	desosado
desosaban	habían	desosado

Pret. perf. simple (Bello : Pretérito)	Pret. anterior (Bello : Antepretérito)	
desosé	hube	desosado
desosaste	hubiste	desosado
desosó	hubo	desosado
desosamos	hubimos	desosado
desosasteis	hubisteis	desosado
desosaron	hubieron	desosado

Futuro (Bello : Futuro)	Futuro perf. (Bello : Antefuturo)	
desosaré	habré	desosado
desosarás	habrás	desosado
desosará	habrá	desosado
desosaremos	habremos	desosado
desosaréis	habréis	desosado
desosarán	habrán	desosado

Condicional (Bello : Pospretérito)	Condicional perf. (Bello : Antepospretérito)	
desosaría	habría	desosado
desosarías	habrías	desosado
desosaría	habría	desosado
desosaríamos	habríamos	desosado
desosaríais	habríais	desosado
desosarían	habrían	desosado

SUBJUNTIVO

Presente (Bello : Presente)	Pret. perf. (Bello : Antepresente)	
deshuese	haya	desosado
deshueses	hayas	desosado
deshuese	haya	desosado
desosemos	hayamos	desosado
desoséis	hayáis	desosado
deshuesen	hayan	desosado

Pret. imperf. (Bello : Pretérito)	Pret. pluscuamp. (Bello : Antepretérito)	
desosara	hubiera	
o desosase	o hubiese	desosado
desosaras	hubieras	
o desosases	o hubieses	desosado
desosara	hubiera	
o desosase	o hubiese	desosado
desosáramos	hubiéramos	
o desosásemos	o hubiésemos	desosado
desosarais	hubierais	
o desosaseis	o hubieseis	desosado
desosaran	hubieran	
o desosasen	o hubiesen	desosado

Futuro (Bello : Futuro)	Futuro perf. (Bello : Antefuturo)	
desosare	hubiere	desosado
desosares	hubieres	desosado
desosare	hubiere	desosado
desosáremos	hubiéremos	desosado
desosareis	hubiereis	desosado
desosaren	hubieren	desosado

IMPERATIVO

Presente

deshuesa	tú
deshuese	él
desosemos	nosotros
desosad	vosotros
deshuesen	ellos

FORMAS NO PERSONALES

Infinitivo	Infinitivo compuesto
desosar	haber desosado
Gerundio	Gerundio compuesto
desosando	habiendo desosado
Participio	
desosado	

21 volver

INDICATIVO

Presente (Bello : Presente)	Pret. perf. comp. (Bello : Antepresente)	
vuelvo	he	vuelto
vuelves	has	vuelto
vuelve	ha	vuelto
volvemos	hemos	vuelto
volvéis	habéis	vuelto
vuelven	han	vuelto

Pret. imperf. (Bello : Copretérito)	Pret. pluscuamp. (Bello : Antecopretérito)	
volvía	había	vuelto
volvías	habías	vuelto
volvía	había	vuelto
volvíamos	habíamos	vuelto
volvíais	habíais	vuelto
volvían	habían	vuelto

Pret. perf. simple (Bello : Pretérito)	Pret. anterior (Bello : Antepretérito)	
volví	hube	vuelto
volviste	hubiste	vuelto
volvió	hubo	vuelto
volvimos	hubimos	vuelto
volvisteis	hubisteis	vuelto
volvieron	hubieron	vuelto

Futuro (Bello : Futuro)	Futuro perf. (Bello : Antefuturo)	
volveré	habré	vuelto
volverás	habrás	vuelto
volverá	habrá	vuelto
volveremos	habremos	vuelto
volveréis	habréis	vuelto
volverán	habrán	vuelto

Condicional (Bello : Pospretérito)	Condicional perf. (Bello : Antepospretérito)	
volvería	habría	vuelto
volverías	habrías	vuelto
volvería	habría	vuelto
volveríamos	habríamos	vuelto
volveríais	habríais	vuelto
volverían	habrían	vuelto

SUBJUNTIVO

Presente (Bello : Presente)	Pret. perf. (Bello : Antepresente)	
vuelva	haya	vuelto
vuelvas	hayas	vuelto
vuelva	haya	vuelto
volvamos	hayamos	vuelto
volváis	hayáis	vuelto
vuelvan	hayan	vuelto

Pret. imperf. (Bello : Pretérito)	Pret. pluscuamp. (Bello : Antepretérito)	
volviera	hubiera	
o volviese	o hubiese	vuelto
volvieras	hubieras	
o volvieses	o hubieses	vuelto
volviera	hubiera	
o volviese	o hubiese	vuelto
volviéramos	hubiéramos	
o volviésemos	o hubiésemos	vuelto
volvierais	hubierais	
o volvieseis	o hubieseis	vuelto
volvieran	hubieran	
o volviesen	o hubiesen	vuelto

Futuro (Bello : Futuro)	Futuro perf. (Bello : Antefuturo)	
volviere	hubiere	vuelto
volvieres	hubieres	vuelto
volviere	hubiere	vuelto
volviéremos	hubiéremos	vuelto
volviereis	hubiereis	vuelto
volvieren	hubieren	vuelto

IMPERATIVO

Presente	
vuelve	tú
vuelva	él
volvamos	nosotros
volved	vosotros
vuelvan	ellos

FORMAS NO PERSONALES

Infinitivo	Infinitivo compuesto
volver	haber vuelto
Gerundio	Gerundio compuesto
volviendo	habiendo vuelto
Participio	
vuelto	

22 moler

──── INDICATIVO ────

Presente (Bello : Presente)	Pret. perf. comp. (Bello : Antepresente)	
muelo	he	molido
mueles	has	molido
muele	ha	molido
molemos	hemos	molido
moléis	habéis	molido
muelen	han	molido

Pret. imperf. (Bello : Copretérito)	Pret. pluscuamp. (Bello : Antecopretérito)	
molía	había	molido
molías	habías	molido
molía	había	molido
molíamos	habíamos	molido
molíais	habíais	molido
molían	habían	molido

Pret. perf. simple (Bello : Pretérito)	Pret. anterior (Bello : Antepretérito)	
molí	hube	molido
moliste	hubiste	molido
molió	hubo	molido
molimos	hubimos	molido
molisteis	hubisteis	molido
molieron	hubieron	molido

Futuro (Bello : Futuro)	Futuro perf. (Bello : Antefuturo)	
moleré	habré	molido
molerás	habrás	molido
molerá	habrá	molido
moleremos	habremos	molido
moleréis	habréis	molido
molerán	habrán	molido

Condicional (Bello : Pospretérito)	Condicional perf. (Bello : Antepospretérito)	
molería	habría	molido
molerías	habrías	molido
molería	habría	molido
moleríamos	habríamos	molido
moleríais	habríais	molido
molerían	habrían	molido

──── SUBJUNTIVO ────

Presente (Bello : Presente)	Pret. perf. (Bello : Antepresente)	
muela	haya	molido
muelas	hayas	molido
muela	haya	molido
molamos	hayamos	molido
moláis	hayáis	molido
muelan	hayan	molido

Pret. imperf. (Bello : Pretérito)	Pret. pluscuamp. (Bello : Antepretérito)	
moliera	hubiera	
o moliese	o hubiese	molido
molieras	hubieras	
o molieses	o hubieses	molido
moliera	hubiera	
o moliese	o hubiese	molido
moliéramos	hubiéramos	
o moliésemos	o hubiésemos	molido
molierais	hubierais	
o molieseis	o hubieseis	molido
molieran	hubieran	
o moliesen	o hubiesen	molido

Futuro (Bello : Futuro)	Futuro perf. (Bello : Antefuturo)	
moliere	hubiere	molido
molieres	hubieres	molido
moliere	hubiere	molido
moliéremos	hubiéremos	molido
moliereis	hubiereis	molido
molieren	hubieren	molido

──── IMPERATIVO ────

Presente

muele	tú
muela	él
molamos	nosotros
moled	vosotros
muelan	ellos

──── FORMAS NO PERSONALES ────

Infinitivo moler	Infinitivo compuesto haber molido
Gerundio moliendo	Gerundio compuesto habiendo molido
Participio molido	

23 cocer

INDICATIVO

Presente (Bello : Presente)	Pret. perf. comp. (Bello : Antepresente)	
cuezo	he	cocido
cueces	has	cocido
cuece	ha	cocido
cocemos	hemos	cocido
cocéis	habéis	cocido
cuecen	han	cocido

Pret. imperf. (Bello : Copretérito)	Pret. pluscuamp. (Bello : Antecopretérito)	
cocía	había	cocido
cocías	habías	cocido
cocía	había	cocido
cocíamos	habíamos	cocido
cocíais	habíais	cocido
cocían	habían	cocido

Pret. perf. simple (Bello : Pretérito)	Pret. anterior (Bello : Antepretérito)	
cocí	hube	cocido
cociste	hubiste	cocido
coció	hubo	cocido
cocimos	hubimos	cocido
cocisteis	hubisteis	cocido
cocieron	hubieron	cocido

Futuro (Bello : Futuro)	Futuro perf. (Bello : Antefuturo)	
coceré	habré	cocido
cocerás	habrás	cocido
cocerá	habrá	cocido
coceremos	habremos	cocido
coceréis	habréis	cocido
cocerán	habrán	cocido

Condicional (Bello : Pospretérito)	Condicional perf. (Bello : Antepospretérito)	
cocería	habría	cocido
cocerías	habrías	cocido
cocería	habría	cocido
coceríamos	habríamos	cocido
coceríais	habríais	cocido
cocerían	habrían	cocido

SUBJUNTIVO

Presente (Bello : Presente)	Pret. perf. (Bello : Antepresente)	
cueza	haya	cocido
cuezas	hayas	cocido
cueza	haya	cocido
cozamos	hayamos	cocido
cozáis	hayáis	cocido
cuezan	hayan	cocido

Pret. imperf. (Bello : Pretérito)	Pret. pluscuamp. (Bello : Antepretérito)	
cociera	hubiera	
o cociese	o hubiese	cocido
cocieras	hubieras	
o cocieses	o hubieses	cocido
cociera	hubiera	
o cociese	o hubiese	cocido
cociéramos	hubiéramos	
o cociésemos	o hubiésemos	cocido
cocierais	hubierais	
o cocieseis	o hubieseis	cocido
cocieran	hubieran	
o cociesen	o hubiesen	cocido

Futuro (Bello : Futuro)	Futuro perf. (Bello : Antefuturo)	
cociere	hubiere	cocido
cocieres	hubieres	cocido
cociere	hubiere	cocido
cociéremos	hubiéremos	cocido
cociereis	hubiereis	cocido
cocieren	hubieren	cocido

IMPERATIVO

Presente	
cuece	tú
cueza	él
cozamos	nosotros
coced	vosotros
cuezan	ellos

FORMAS NO PERSONALES

Infinitivo	Infinitivo compuesto
cocer	haber cocido
Gerundio	Gerundio compuesto
cociendo	habiendo cocido
Participio	
cocido	

24 oler

____ INDICATIVO ____

Presente (Bello : Presente)	Pret. perf. comp. (Bello : Antepresente)	
huelo	he	olido
hueles	has	olido
huele	ha	olido
olemos	hemos	olido
oléis	habéis	olido
huelen	han	olido

Pret. imperf. (Bello : Copretérito)	Pret. pluscuamp. (Bello : Antecopretérito)	
olía	había	olido
olías	habías	olido
olía	había	olido
olíamos	habíamos	olido
olíais	habíais	olido
olían	habían	olido

Pret. perf. simple (Bello : Pretérito)	Pret. anterior (Bello : Antepretérito)	
olí	hube	olido
oliste	hubiste	olido
olió	hubo	olido
olimos	hubimos	olido
olisteis	hubisteis	olido
olieron	hubieron	olido

Futuro (Bello : Futuro)	Futuro perf. (Bello : Antefuturo)	
oleré	habré	olido
olerás	habrás	olido
olerá	habrá	olido
oleremos	habremos	olido
oleréis	habréis	olido
olerán	habrán	olido

Condicional (Bello : Pospretérito)	Condicional perf. (Bello : Antepospretérito)	
olería	habría	olido
olerías	habrías	olido
olería	habría	olido
oleríamos	habríamos	olido
oleríais	habríais	olido
olerían	habrían	olido

____ SUBJUNTIVO ____

Presente (Bello : Presente)	Pret. perf. (Bello : Antepresente)	
huela	haya	olido
huelas	hayas	olido
huela	haya	olido
olamos	hayamos	olido
oláis	hayáis	olido
huelan	hayan	olido

Pret. imperf. (Bello : Pretérito)	Pret. pluscuamp. (Bello : Antepretérito)	
oliera	hubiera	
u oliese	o hubiese	olido
olieras	hubieras	
u olieses	o hubieses	olido
oliera	hubiera	
u oliese	o hubiese	olido
oliéramos	hubiéramos	
u oliésemos	o hubiésemos	olido
olierais	hubierais	
u olieseis	o hubieseis	olido
olieran	hubieran	
u oliesen	o hubiesen	olido

Futuro (Bello : Futuro)	Futuro perf. (Bello : Antefuturo)	
oliere	hubiere	olido
olieres	hubieres	olido
oliere	hubiere	olido
oliéremos	hubiéremos	olido
oliereis	hubiereis	olido
olieren	hubieren	olido

____ IMPERATIVO ____

Presente	
huele	tú
huela	él
olamos	nosotros
oled	vosotros
huelan	ellos

____ FORMAS NO PERSONALES ____

Infinitivo	Infinitivo compuesto
oler	haber olido
Gerundio	Gerundio compuesto
oliendo	habiendo olido
Participio	
olido	

25 mover

___ INDICATIVO ___

Presente (Bello : Presente)		Pret. perf. comp. (Bello : Antepresente)	
muevo		he	movido
mueves		has	movido
mueve		ha	movido
movemos		hemos	movido
movéis		habéis	movido
mueven		han	movido

Pret. imperf. (Bello : Copretérito)		Pret. pluscuamp. (Bello : Antecopretérito)	
movía		había	movido
movías		habías	movido
movía		había	movido
movíamos		habíamos	movido
movíais		habíais	movido
movían		habían	movido

Pret. perf. simple (Bello : Pretérito)		Pret. anterior (Bello : Antepretérito)	
moví		hube	movido
moviste		hubiste	movido
movió		hubo	movido
movimos		hubimos	movido
movisteis		hubisteis	movido
movieron		hubieron	movido

Futuro (Bello : Futuro)		Futuro perf. (Bello : Antefuturo)	
moveré		habré	movido
moverás		habrás	movido
moverá		habrá	movido
moveremos		habremos	movido
moveréis		habréis	movido
moverán		habrán	movido

Condicional (Bello : Pospretérito)		Condicional perf. (Bello : Antepospretérito)	
movería		habría	movido
moverías		habrías	movido
movería		habría	movido
moveríamos		habríamos	movido
moveríais		habríais	movido
moverían		habrían	movido

___ SUBJUNTIVO ___

Presente (Bello : Presente)		Pret. perf. (Bello : Antepresente)	
mueva		haya	movido
muevas		hayas	movido
mueva		haya	movido
movamos		hayamos	movido
mováis		hayáis	movido
muevan		hayan	movido

Pret. imperf. (Bello : Pretérito)		Pret. pluscuamp. (Bello : Antepretérito)	
moviera		hubiera	
o moviese		o hubiese	movido
movieras		hubieras	
o movieses		o hubieses	movido
moviera		hubiera	
o moviese		o hubiese	movido
moviéramos		hubiéramos	
o moviésemos		o hubiésemos	movido
movierais		hubierais	
o movieseis		o hubieseis	movido
movieran		hubieran	
o moviesen		o hubiesen	movido

Futuro (Bello : Futuro)		Futuro perf. (Bello : Antefuturo)	
moviere		hubiere	movido
movieres		hubieres	movido
moviere		hubiere	movido
moviéremos		hubiéremos	movido
moviereis		hubiereis	movido
movieren		hubieren	movido

___ IMPERATIVO ___

Presente

mueve	tú
mueva	él
movamos	nosotros
moved	vosotros
muevan	ellos

___ FORMAS NO PERSONALES ___

Infinitivo	Infinitivo compuesto
mover	haber movido
Gerundio	Gerundio compuesto
moviendo	habiendo movido
Participio	
movido	

26 poder

INDICATIVO

Presente (Bello : Presente)	Pret. perf. comp. (Bello : Antepresente)	
puedo	he	podido
puedes	has	podido
puede	ha	podido
podemos	hemos	podido
podéis	habéis	podido
pueden	han	podido

Pret. imperf. (Bello : Copretérito)	Pret. pluscuamp. (Bello : Antecopretérito)	
podía	había	podido
podías	habías	podido
podía	había	podido
podíamos	habíamos	podido
podíais	habíais	podido
podían	habían	podido

Pret. perf. simple (Bello : Pretérito)	Pret. anterior (Bello : Antepretérito)	
pude	hube	podido
pudiste	hubiste	podido
pudo	hubo	podido
pudimos	hubimos	podido
pudisteis	hubisteis	podido
pudieron	hubieron	podido

Futuro (Bello : Futuro)	Futuro perf. (Bello : Antefuturo)	
podré	habré	podido
podrás	habrás	podido
podrá	habrá	podido
podremos	habremos	podido
podréis	habréis	podido
podrán	habrán	podido

Condicional (Bello : Pospretérito)	Condicional perf. (Bello : Antepospretérito)	
podría	habría	podido
podrías	habrías	podido
podría	habría	podido
podríamos	habríamos	podido
podríais	habríais	podido
podrían	habrían	podido

SUBJUNTIVO

Presente (Bello : Presente)	Pret. perf. (Bello : Antepresente)	
pueda	haya	podido
puedas	hayas	podido
pueda	haya	podido
podamos	hayamos	podido
podáis	hayáis	podido
puedan	hayan	podido

Pret. imperf. (Bello : Pretérito)	Pret. pluscuamp. (Bello : Antepretérito)	
pudiera	hubiera	
o pudiese	o hubiese	podido
pudieras	hubieras	
o pudieses	o hubieses	podido
pudiera	hubiera	
o pudiese	o hubiese	podido
pudiéramos	hubiéramos	
o pudiésemos	o hubiésemos	podido
pudierais	hubierais	
o pudieseis	o hubieseis	podido
pudieran	hubieran	
o pudiesen	o hubiesen	podido

Futuro (Bello : Futuro)	Futuro perf. (Bello : Antefuturo)	
pudiere	hubiere	podido
pudieres	hubieres	podido
pudiere	hubiere	podido
pudiéremos	hubiéremos	podido
pudiereis	hubiereis	podido
pudieren	hubieren	podido

IMPERATIVO

Presente

puede	tú
pueda	él
podamos	nosotros
poded	vosotros
puedan	ellos

FORMAS NO PERSONALES

Infinitivo	Infinitivo compuesto
poder	haber podido

Gerundio	Gerundio compuesto
pudiendo	habiendo podido

Participio
podido

27 sentir

—— INDICATIVO ——

Presente (Bello : Presente)	Pret. perf. comp. (Bello : Antepresente)	
siento	he	sentido
sientes	has	sentido
siente	ha	sentido
sentimos	hemos	sentido
sentís	habéis	sentido
sienten	han	sentido

Pret. imperf. (Bello : Copretérito)	Pret. pluscuamp. (Bello : Antecopretérito)	
sentía	había	sentido
sentías	habías	sentido
sentía	había	sentido
sentíamos	habíamos	sentido
sentíais	habíais	sentido
sentían	habían	sentido

Pret. perf. simple (Bello : Pretérito)	Pret. anterior (Bello : Antepretérito)	
sentí	hube	sentido
sentiste	hubiste	sentido
sintió	hubo	sentido
sentimos	hubimos	sentido
sentisteis	hubisteis	sentido
sintieron	hubieron	sentido

Futuro (Bello : Futuro)	Futuro perf. (Bello : Antefuturo)	
sentiré	habré	sentido
sentirás	habrás	sentido
sentirá	habrá	sentido
sentiremos	habremos	sentido
sentiréis	habréis	sentido
sentirán	habrán	sentido

Condicional (Bello : Pospretérito)	Condicional perf. (Bello : Antepospretérito)	
sentiría	habría	sentido
sentirías	habrías	sentido
sentiría	habría	sentido
sentiríamos	habríamos	sentido
sentiríais	habríais	sentido
sentirían	habrían	sentido

—— SUBJUNTIVO ——

Presente (Bello : Presente)	Pret. perf. (Bello : Antepresente)	
sienta	haya	sentido
sientas	hayas	sentido
sienta	haya	sentido
sintamos	hayamos	sentido
sintáis	hayáis	sentido
sientan	hayan	sentido

Pret. imperf. (Bello : Pretérito)	Pret. pluscuamp. (Bello : Antepretérito)	
sintiera	hubiera	
o sintiese	o hubiese	sentido
sintieras	hubieras	
o sintieses	o hubieses	sentido
sintiera	hubiera	
o sintiese	o hubiese	sentido
sintiéramos	hubiéramos	
o sintiésemos	o hubiésemos	sentido
sintierais	hubierais	
o sintieseis	o hubieseis	sentido
sintieran	hubieran	
o sintiesen	o hubiesen	sentido

Futuro (Bello : Futuro)	Futuro perf. (Bello : Antefuturo)	
sintiere	hubiere	sentido
sintieres	hubieres	sentido
sintiere	hubiere	sentido
sintiéremos	hubiéremos	sentido
sintiereis	hubiereis	sentido
sintieren	hubieren	sentido

—— IMPERATIVO ——

Presente

siente	tú
sienta	él
sintamos	nosotros
sentid	vosotros
sientan	ellos

—— FORMAS NO PERSONALES ——

Infinitivo	Infinitivo compuesto
sentir	haber sentido

Gerundio	Gerundio compuesto
sintiendo	habiendo sentido

Participio	
sentido	

28 erguir

Presente (Bello : Presente)		Pret. perf. comp. (Bello : Antepresente)	
irgo	o yergo	he	erguido
irgues	o yergues	has	erguido
irgue	o yergue	ha	erguido
erguimos		hemos	erguido
erguís		habéis	erguido
irguen	o yerguen	han	erguido

Pret. imperf. (Bello : Copretérito)	Pret. pluscuamp. (Bello : Antecopretérito)	
erguía	había	erguido
erguías	habías	erguido
erguía	había	erguido
erguíamos	habíamos	erguido
erguíais	habíais	erguido
erguían	habían	erguido

Pret. perf. simple (Bello : Pretérito)	Pret. anterior (Bello : Antepretérito)	
erguí	hube	erguido
erguiste	hubiste	erguido
irguió	hubo	erguido
erguimos	hubimos	erguido
erguisteis	hubisteis	erguido
irguieron	hubieron	erguido

Futuro (Bello : Futuro)	Futuro perf. (Bello : Antefuturo)	
erguiré	habré	erguido
erguirás	habrás	erguido
erguirá	habrá	erguido
erguiremos	habremos	erguido
erguiréis	habréis	erguido
erguirán	habrán	erguido

Condicional (Bello : Pospretérito)	Condicional perf. (Bello : Antepospretérito)	
erguiría	habría	erguido
erguirías	habrías	erguido
erguiría	habría	erguido
erguiríamos	habríamos	erguido
erguiríais	habríais	erguido
erguirían	habrían	erguido

Presente (Bello : Presente)		Pret. perf. (Bello : Antepresente)	
irga	o yerga	haya	erguido
irgas	o yergas	hayas	erguido
irga	o yerga	haya	erguido
irgamos	o yergamos	hayamos	erguido
irgáis	o yergáis	hayáis	erguido
irgan	o yergan	hayan	erguido

Pret. imperf. (Bello : Pretérito)		Pret. pluscuamp. (Bello : Antepretérito)	
irguiera		hubiera	
o irguiese		o hubiese	erguido
irguieras		hubieras	
o irguieses		o hubieses	erguido
irguiera		hubiera	
o irguiese		o hubiese	erguido
irguiéramos		hubiéramos	
o irguiésemos		o hubiésemos	erguido
irguierais		hubierais	
o irguieseis		o hubieseis	erguido
irguieran		hubieran	
o irguiesen		o hubiesen	erguido

Futuro (Bello : Futuro)	Futuro perf. (Bello : Antefuturo)	
irguiere	hubiere	erguido
irguieres	hubieres	erguido
irguiere	hubiere	erguido
irguiéremos	hubiéremos	erguido
irguiereis	hubiereis	erguido
irguieren	hubieren	erguido

Presente

irgue	o yergue	tú
irga	o yerga	él
irgamos	o yergamos	nosotros
erguid		vosotros
irgan	o yergan	ellos

Infinitivo erguir	Infinitivo compuesto haber erguido
Gerundio irguiendo	Gerundio compuesto habiendo erguido
Participio erguido	

29 dormir

___ INDICATIVO ___

Presente
(Bello : Presente)

duermo
duermes
duerme
dormimos
dormís
duermen

Pret. perf. comp.
(Bello : Antepresente)

he	dormido
has	dormido
ha	dormido
hemos	dormido
habéis	dormido
han	dormido

Pret. imperf.
(Bello : Copretérito)

dormía
dormías
dormía
dormíamos
dormíais
dormían

Pret. pluscuamp.
(Bello : Antecopretérito)

había	dormido
habías	dormido
había	dormido
habíamos	dormido
habíais	dormido
habían	dormido

Pret. perf. simple
(Bello : Pretérito)

dormí
dormiste
durmió
dormimos
dormisteis
durmieron

Pret. anterior
(Bello : Antepretérito)

hube	dormido
hubiste	dormido
hubo	dormido
hubimos	dormido
hubisteis	dormido
hubieron	dormido

Futuro
(Bello : Futuro)

dormiré
dormirás
dormirá
dormiremos
dormiréis
dormirán

Futuro perf.
(Bello : Antefuturo)

habré	dormido
habrás	dormido
habrá	dormido
habremos	dormido
habréis	dormido
habrán	dormido

Condicional
(Bello : Pospretérito)

dormiría
dormirías
dormiría
dormiríamos
dormiríais
dormirían

Condicional perf.
(Bello : Antepospretérito)

habría	dormido
habrías	dormido
habría	dormido
habríamos	dormido
habríais	dormido
habrían	dormido

___ SUBJUNTIVO ___

Presente
(Bello : Presente)

duerma
duermas
duerma
durmamos
durmáis
duerman

Pret. perf.
(Bello : Antepresente)

haya	dormido
hayas	dormido
haya	dormido
hayamos	dormido
hayáis	dormido
hayan	dormido

Pret. imperf.
(Bello : Pretérito)

durmiera
o durmiese
durmieras
o durmieses
durmiera
o durmiese
durmiéramos
o durmiésemos
durmierais
o durmieseis
durmieran
o durmiesen

Pret. pluscuamp.
(Bello : Antepretérito)

hubiera	
o hubiese	dormido
hubieras	
o hubieses	dormido
hubiera	
o hubiese	dormido
hubiéramos	
o hubiésemos	dormido
hubierais	
o hubieseis	dormido
hubieran	
o hubiesen	dormido

Futuro
(Bello : Futuro)

durmiere
durmieres
durmiere
durmiéremos
durmiereis
durmieren

Futuro perf.
(Bello : Antefuturo)

hubiere	dormido
hubieres	dormido
hubiere	dormido
hubiéremos	dormido
hubiereis	dormido
hubieren	dormido

___ IMPERATIVO ___

Presente

duerme	tú
duerma	él
durmamos	nosotros
dormid	vosotros
duerman	ellos

___ FORMAS NO PERSONALES ___

Infinitivo	Infinitivo compuesto
dormir	haber dormido

Gerundio	Gerundio compuesto
durmiendo	habiendo dormido

Participio
dormido

30 adquirir

_____ INDICATIVO _____

Presente (Bello : Presente)	Pret. perf. comp. (Bello : Antepresente)	
adquiero	he	adquirido
adquieres	has	adquirido
adquiere	ha	adquirido
adquirimos	hemos	adquirido
adquirís	habéis	adquirido
adquieren	han	adquirido

Pret. imperf. (Bello : Copretérito)	Pret. pluscuamp. (Bello : Antecopretérito)	
adquiría	había	adquirido
adquirías	habías	adquirido
adquiría	había	adquirido
adquiríamos	habíamos	adquirido
adquiríais	habíais	adquirido
adquirían	nábían	adquirido

Pret. perf. simple (Bello : Pretérito)	Pret. anterior (Bello : Antepretérito)	
adquirí	hube	adquirido
adquiriste	hubiste	adquirido
adquirió	hubo	adquirido
adquirimos	hubimos	adquirido
adquiristeis	hubisteis	adquirido
adquirieron	hubieron	adquirido

Futuro (Bello : Futuro)	Futuro perf. (Bello : Antefuturo)	
adquiriré	habré	adquirido
adquirirás	habrás	adquirido
adquirirá	habrá	adquirido
adquiriremos	habremos	adquirido
adquiriréis	habréis	adquirido
adquirirán	habrán	adquirido

Condicional (Bello : Pospretérito)	Condicional perf. (Bello : Antepospretérito)	
adquiriría	habría	adquirido
adquirirías	habrías	adquirido
adquiriría	habría	adquirido
adquiriríamos	habríamos	adquirido
adquiriríais	habríais	adquirido
adquirirían	habrían	adquirido

_____ SUBJUNTIVO _____

Presente (Bello : Presente)	Pret. perf. (Bello : Antepresente)	
adquiera	haya	adquirido
adquieras	hayas	adquirido
adquiera	haya	adquirido
adquiramos	hayamos	adquirido
adquiráis	hayáis	adquirido
adquieran	hayan	adquirido

Pret. imperf. (Bello : Pretérito)	Pret. pluscuamp. (Bello : Antepretérito)	
adquiriera	hubiera	
o adquiriese	o hubiese	adquirido
adquirieras	hubieras	
o adquirieses	o hubieses	adquirido
adquiriera	hubiera	
o adquiriese	o hubiese	adquirido
adquiriéramos	hubiéramos	
o adquiriésemos	o hubiésemos	adquirido
adquirierais	hubierais	
o adquirieseis	o hubieseis	adquirido
adquirieran	hubieran	
o adquiriesen	o hubiesen	adquirido

Futuro (Bello : Futuro)	Futuro perf. (Bello : Antefuturo)	
adquiriere	hubiere	adquirido
adquirieres	hubieres	adquirido
adquiriere	hubiere	adquirido
adquiriéremos	hubiéremos	adquirido
adquiriereis	hubiereis	adquirido
adquirieren	hubieren	adquirido

_____ IMPERATIVO _____

Presente

adquiere	tú
adquiera	él
adquiramos	nosotros
adquirid	vosotros
adquieran	ellos

_____ FORMAS NO PERSONALES _____

Infinitivo	Infinitivo compuesto
adquirir	haber adquirido
Gerundio	Gerundio compuesto
adquiriendo	habiendo adquirido
Participio	
adquirido	

31 podrir o pudrir

—— INDICATIVO ——

Presente (Bello : Presente)	Pret. perf. comp. (Bello : Antepresente)	
pudro	he	podrido
pudres	has	podrido
pudre	ha	podrido
pudrimos	hemos	podrido
pudrís	habéis	podrido
pudren	han	podrido

Pret. imperf. (Bello : Copretérito)	Pret. pluscuamp. (Bello : Antecopretérito)	
pudría	había	podrido
pudrías	habías	podrido
pudría	había	podrido
pudríamos	habíamos	podrido
pudríais	habíais	podrido
pudrían	habían	podrido

Pret. perf. simple (Bello : Pretérito)	Pret. anterior (Bello : Antepretérito)	
pudrí*	hube	podrido
pudriste	hubiste	podrido
pudrió	hubo	podrido
pudrimos	hubimos	podrido
pudristeis	hubisteis	podrido
pudrieron	hubieron	podrido

Futuro (Bello : Futuro)	Futuro perf. (Bello : Antefuturo)	
pudriré**	habré	podrido
pudrirás	habrás	podrido
pudrirá	habrá	podrido
pudriremos	habremos	podrido
pudriréis	habréis	podrido
pudrirán	habrán	podrido

Condicional (Bello : Pospretérito)	Condicional perf. (Bello : Antepospretérito)	
pudriría***	habría	podrido
pudrirías	habrías	podrido
pudriría	habría	podrido
pudriríamos	habríamos	podrido
pudriríais	habríais	podrido
pudrirían	habrían	podrido

* o podrí, podriste, etc.
**. o podriré, podrirás, etc.
*** o podriría, podrirías, etc.

—— SUBJUNTIVO ——

Presente (Bello : Presente)	Pret. perf. (Bello : Antepresente)	
pudra	haya	podrido
pudras	hayas	podrido
pudra	haya	podrido
pudramos	hayamos	podrido
pudráis	hayáis	podrido
pudran	hayan	podrido

Pret. imperf. (Bello : Pretérito)	Pret. pluscuamp. (Bello : Antepretérito)	
pudriera	hubiera	
o pudriese	o hubiese	podrido
pudrieras	hubieras	
o pudrieses	o hubieses	podrido
pudriera	hubiera	
o pudriese	o hubiese	podrido
pudriéramos	hubiéramos	
o pudriésemos	o hubiésemos	podrido
pudrierais	hubierais	
o pudrieseis	o hubieseis	podrido
pudrieran	hubieran	
o pudriesen	o hubiesen	podrido

Futuro (Bello : Futuro)	Futuro perf. (Bello : Antefuturo)	
pudriere	hubiere	podrido
pudrieres	hubieres	podrido
pudriere	hubiere	podrido
pudriéremos	hubiéremos	podrido
pudriereis	hubiereis	podrido
pudrieren	hubieren	podrido

—— IMPERATIVO ——

Presente	
pudre	tú
pudra	él
pudramos	nosotros
pudrid o podrid	vosotros
pudran	ellos

—— FORMAS NO PERSONALES ——

Infinitivo	Infinitivo compuesto
podrir o pudrir	haber podrido
Gerundio	Gerundio compuesto
pudriendo	habiendo podrido
Participio	
podrido	

32 jugar

____ INDICATIVO ____

Presente (Bello : Presente)	Pret. perf. comp. (Bello : Antepresente)	
juego	he	jugado
juegas	has	jugado
juega	ha	jugado
jugamos	hemos	jugado
jugáis	habéis	jugado
juegan	han	jugado

Pret. imperf. (Bello : Copretérito)	Pret. pluscuamp. (Bello : Antecopretérito)	
jugaba	había	jugado
jugabas	habías	jugado
jugaba	había	jugado
jugábamos	habíamos	jugado
jugabais	habíais	jugado
jugaban	habían	jugado

Pret. perf. simple (Bello : Pretérito)	Pret. anterior (Bello : Antepretérito)	
jugué	hube	jugado
jugaste	hubiste	jugado
jugó	hubo	jugado
jugamos	hubimos	jugado
jugasteis	hubisteis	jugado
jugaron	hubieron	jugado

Futuro (Bello : Futuro)	Futuro perf. (Bello : Antefuturo)	
jugaré	habré	jugado
jugarás	habrás	jugado
jugará	habrá	jugado
jugaremos	habremos	jugado
jugaréis	habréis	jugado
jugarán	habrán	jugado

Condicional (Bello : Pospretérito)	Condicional perf. (Bello : Antepospretérito)	
jugaría	habría	jugado
jugarías	habrías	jugado
jugaría	habría	jugado
jugaríamos	habríamos	jugado
jugaríais	habríais	jugado
jugarían	habrían	jugado

____ SUBJUNTIVO ____

Presente (Bello : Presente)	Pret. perf. (Bello : Antepresente)	
juegue	haya	jugado
juegues	hayas	jugado
juegue	haya	jugado
juguemos	hayamos	jugado
juguéis	hayáis	jugado
jueguen	hayan	jugado

Pret. imperf. (Bello : Pretérito)	Pret. pluscuamp. (Bello : Antepretérito)	
jugara	hubiera	
o jugase	o hubiese	jugado
jugaras	hubieras	
o jugases	o hubieses	jugado
jugara	hubiera	
o jugase	o hubiese	jugado
jugáramos	hubiéramos	
o jugásemos	o hubiésemos	jugado
jugarais	hubierais	
o jugaseis	o hubieseis	jugado
jugaran	hubieran	
o jugasen	o hubiesen	jugado

Futuro (Bello : Futuro)	Futuro perf. (Bello : Antefuturo)	
jugare	hubiere	jugado
jugares	hubieres	jugado
jugare	hubiere	jugado
jugáremos	hubiéremos	jugado
jugareis	hubiereis	jugado
jugaren	hubieren	jugado

____ IMPERATIVO ____

Presente

juega	tú
juegue	él
juguemos	nosotros
jugad	vosotros
jueguen	ellos

____ FORMAS NO PERSONALES ____

Infinitivo	Infinitivo compuesto
jugar	haber jugado
Gerundio	Gerundio compuesto
jugando	habiendo jugado
Participio	
jugado	

55

33 hacer

___ INDICATIVO ___

Presente (Bello : Presente)	Pret. perf. comp. (Bello : Antepresente)	
hago	he	hecho
haces	has	hecho
hace	ha	hecho
hacemos	hemos	hecho
hacéis	habéis	hecho
hacen	han	hecho

Pret. imperf. (Bello : Copretérito)	Pret. pluscuamp. (Bello : Antecopretérito)	
hacía	había	hecho
hacías	habías	hecho
hacía	había	hecho
hacíamos	habíamos	hecho
hacíais	habíais	hecho
hacían	habían	hecho

Pret. perf. simple (Bello : Pretérito)	Pret. anterior (Bello : Antepretérito)	
hice	hube	hecho
hiciste	hubiste	hecho
hizo	hubo	hecho
hicimos	hubimos	hecho
hicisteis	hubisteis	hecho
hicieron	hubieron	hecho

Futuro (Bello : Futuro)	Futuro perf. (Bello : Antefuturo)	
haré	habré	hecho
harás	habrás	hecho
hará	habrá	hecho
haremos	habremos	hecho
haréis	habréis	hecho
harán	habrán	hecho

Condicional (Bello : Pospretérito)	Condicional perf. (Bello : Antepospretérito)	
haría	habría	hecho
harías	habrías	hecho
haría	habría	hecho
haríamos	habríamos	hecho
haríais	habríais	hecho
harían	habrían	hecho

___ SUBJUNTIVO ___

Presente (Bello : Presente)	Pret. perf. (Bello : Antepresente)	
haga	haya	hecho
hagas	hayas	hecho
haga	haya	hecho
hagamos	hayamos	hecho
hagáis	hayáis	hecho
hagan	hayan	hecho

Pret. imperf. (Bello : Pretérito)	Pret. pluscuamp. (Bello : Antepretérito)	
hiciera	hubiera	
o hiciese	o hubiese	hecho
hicieras	hubieras	
o hicieses	o hubieses	hecho
hiciera	hubiera	
o hiciese	o hubiese	hecho
hiciéramos	hubiéramos	
o hiciésemos	o hubiésemos	hecho
hicierais	hubierais	
o hicieseis	o hubieseis	hecho
hicieran	hubieran	
o hiciesen	o hubiesen	hecho

Futuro (Bello : Futuro)	Futuro perf. (Bello : Antefuturo)	
hiciere	hubiere	hecho
hicieres	hubieres	hecho
hiciere	hubiere	hecho
hiciéremos	hubiéremos	hecho
hiciereis	hubiereis	hecho
hicieren	hubieren	hecho

___ IMPERATIVO ___

Presente

haz	tú
haga	él
hagamos	nosotros
haced	vosotros
hagan	ellos

___ FORMAS NO PERSONALES ___

Infinitivo	Infinitivo compuesto
hacer	haber hecho
Gerundio	Gerundio compuesto
haciendo	habiendo hecho
Participio	
hecho	

34 yacer

____ INDICATIVO ____

Presente (Bello : Presente)	Pret. perf. comp. (Bello : Antepresente)
yazco*	he yacido
yaces	has yacido
yace	ha yacido
yacemos	hemos yacido
yacéis	habéis yacido
yacen	han yacido

Pret. imperf. (Bello : Copretérito)	Pret. pluscuamp. (Bello : Antecopretérito)
yacía	había yacido
yacías·	habías yacido
yacía	había yacido
yacíamos	habíamos yacido
yacíais	habíais yacido
yacían	habían yacido

Pret. perf. simple (Bello : Pretérito)	Pret. anterior (Bello : Antepretérito)
yací	hube yacido
yaciste	hubiste yacido
yació	hubo yacido
yacimos	hubimos yacido
yacisteis	hubisteis yacido
yacieronʃ	hubieron yacido

Futuro (Bello : Futuro)	Futuro perf (Bello : Antefuturo)
yaceré	habré yacido
yacerás	habrás yacido
yacerá	habrá yacido
yaceremos	habremos yacido
yaceréis	habréis yacido
yacerán	habrán yacido

Condicional (Bello : Pospretérito)	Condicional perf. (Bello : Antepospretérito)
yacería	habría yacido
yacerías	habrías yacido
yacería	habría yacido
yaceríamos	habríamos yacido
yaceríais	habríais yacido
yacerían	habrían yacido

____ SUBJUNTIVO ____

Presente (Bello : Presente)	Pret. perf. (Bello : Antepresente)
yazca**	haya yacido
yazcas	hayas yacido
yazca	haya yacido
yazcamos	hayamos yacido
yazcáis	hayáis yacido
yazcan	hayan yacido

Pret. imperf. (Bello : Pretérito)	Pret. pluscuamp. (Bello : Antepretérito)
yaciera	hubiera
o yaciese	o hubiese yacido
yacieras	hubieras
o yacieses	o hubieses yacido
yaciera	hubiera
o yaciese	o hubiese yacido
yaciéramos	hubiéramos
o yaciésemos	o hubiésemos yacido
yacierais	hubierais
o yacieseis	o hubieseis yacido
yacieran	hubieran
o yaciesen	o hubiesen yacido

Futuro (Bello : Futuro)	Futuro perf. (Bello : Antefuturo)
yaciere	hubiere yacido
yacieres	hubieres yacido
yaciere	hubiere yacido
yaciéremos	hubiéremos yacido
yaciereis	hubiereis yacido
yacieren	hubieren yacido

____ IMPERATIVO ____

Presente

yace o yaz	tú
yazca, yazga o yaga	él
yazcamos, yazgamos o yagamos	nosotros
yaced	vosotros
yazcan, yazgan o yagan	ellos

____ FORMAS NO PERSONALES ____

Infinitivo	Infinitivo compuesto
yacer	haber yacido
Gerundio	Gerundio compuesto
yaciendo	habiendo yacido
Participio	
yacido	

* o yazgo o yago
** o yazga o yaga, yazgas o yagas, etc.

35 parecer

Presente (Bello : Presente)	Pret. perf. comp. (Bello : Antepresente)	
parezco	he	parecido
pareces	has	parecido
parece	ha	parecido
parecemos	hemos	parecido
parecéis	habéis	parecido
parecen	han	parecido

Pret. imperf. (Bello : Copretérito)	Pret. pluscuamp. (Bello : Antecopretérito)	
parecía	había	parecido
parecías	habías	parecido
parecía	había	parecido
parecíamos	habíamos	parecido
parecíais	habíais	parecido
parecían	habían	parecido

Pret. perf. simple (Bello : Pretérito)	Pret. anterior (Bello : Antepretérito)	
parecí	hube	parecido
pareciste	hubiste	parecido
pareció	hubo	parecido
parecimos	hubimos	parecido
parecisteis	hubisteis	parecido
parecieron	hubieron	parecido

Futuro (Bello : Futuro)	Futuro perf. (Bello : Antefuturo)	
pareceré	habré	parecido
parecerás	habrás	parecido
parecerá	habrá	parecido
pareceremos	habremos	parecido
pareceréis	habréis	parecido
parecerán	habrán	parecido

Condicional (Bello : Pospretérito)	Condicional perf. (Bello : Antepospretérito)	
parecería	habría	parecido
parecerías	habrías	parecido
parecería	habría	parecido
pareceríamos	habríamos	parecido
pareceríais	habríais	parecido
parecerían	habrían	parecido

Presente (Bello : Presente)	Pret. perf. (Bello : Antepresente)	
parezca	haya	parecido
parezcas	hayas	parecido
parezca	haya	parecido
parezcamos	hayamos	parecido
parezcáis	hayáis	parecido
parezcan	hayan	parecido

Pret. imperf. (Bello : Pretérito)	Pret. pluscuamp. (Bello : Antepretérito)	
pareciera	hubiera	
o pareciese	o hubiese	parecido
parecieras	hubieras	
o parecieses	o hubieses	parecido
pareciera	hubiera	
o pareciese	o hubiese	parecido
pareciéramos	hubiéramos	
o pareciésemos	o hubiésemos	parecido
parecierais	hubierais	
o parecieseis	o hubieseis	parecido
parecieran	hubieran	
o pareciesen	o hubiesen	parecido

Futuro (Bello : Futuro)	Futuro perf. (Bello : Antefuturo)	
pareciere	hubiere	parecido
parecieres	hubieres	parecido
pareciere	hubiere	parecido
pareciéremos	hubiéremos	parecido
pareciereis	hubiereis	parecido
parecieren	hubieren	parecido

Presente

parece	tú
parezca	él
parezcamos	nosotros
pareced	vosotros
parezcan	ellos

Infinitivo	Infinitivo compuesto
parecer	haber parecido
Gerundio	Gerundio compuesto
pareciendo	habiendo parecido
Participio	
parecido	

36 nacer

INDICATIVO

Presente (Bello : Presente)	Pret. perf. comp. (Bello : Antepresente)	
nazco	he	nacido
naces	has	nacido
nace	ha	nacido
nacemos	hemos	nacido
nacéis	habéis	nacido
nacen	han	nacido

Pret. imperf. (Bello : Copretérito)	Pret. pluscuamp. (Bello : Antecopretérito)	
nacía	había	nacido
nacías	habías	nacido
nacía	había	nacido
nacíamos	habíamos	nacido
nacíais	habíais	nacido
nacían	habían	nacido

Pret. perf. simple (Bello : Pretérito)	Pret. anterior (Bello : Antepretérito)	
nací	hube	nacido
naciste	hubiste	nacido
nació	hubo	nacido
nacimos	hubimos	nacido
nacisteis	hubisteis	nacido
nacieron	hubieron	nacido

Futuro (Bello : Futuro)	Futuro perf. (Bello : Antefuturo)	
naceré	habré	nacido
nacerás	habrás	nacido
nacerá	habrá	nacido
naceremos	habremos	nacido
naceréis	habréis	nacido
nacerán	habrán	nacido

Condicional (Bello : Pospretérito)	Condicional perf. (Bello : Antepospretérito)	
nacería	habría	nacido
nacerías	habrías	nacido
nacería	habría	nacidó
naceríamos	habríamos	nacido
naceríais	habríais	nacido
nacerían	habrían	nacido

SUBJUNTIVO

Presente (Bello : Presente)	Pret. perf. (Bello : Antepresente)	
nazca	haya	nacido
nazcas	hayas	nacido
nazca	haya	nacido
nazcamos	hayamos	nacido
nazcáis	hayáis	nacido
nazcan	hayan	nacido

Pret. imperf. (Bello : Pretérito)	Pret. pluscuamp. (Bello : Antepretérito)	
naciera	hubiera	
o naciese	o hubiese	nacido
nacieras	hubieras	
o nacieses	o hubieses	nacido
naciera	hubiera	
o naciese	o hubiese	nacido
naciéramos	hubiéramos	
o naciésemos	o hubiésemos	nacido
nacierais	hubierais	
o nacieseis	o hubieseis	nacido
nacieran	hubieran	
o naciesen	o hubiesen	nacido

Futuro (Bello : Futuro)	Futuro perf. (Bello : Antefuturo)	
naciere	hubiere	nacido
nacieres	hubieres	nacido
naciere	hubiere	nacido
naciéremos	hubiéremos	nacido
naciereis	hubiereis	nacido
nacieren	hubieren	nacido

IMPERATIVO

Presente

nace	tú
nazca	él
nazcamos	nosotros
naced	vosotros
nazcan	ellos

FORMAS NO PERSONALES

Infinitivo	Infinitivo compuesto
nacer	haber nacido
Gerundio	Gerundio compuesto
naciendo	habiendo nacido
Participio	
nacido	

37 conocer

INDICATIVO

Presente (Bello : Presente)	Pret. perf. comp. (Bello : Antepresente)
conozco	he conocido
conoces	has conocido
conoce	ha conocido
conocemos	hemos conocido
conocéis	habéis conocido
conocen	han conocido

Pret. imperf. (Bello : Copretérito)	Pret. pluscuamp. (Bello : Antecopretérito)
conocía	había conocido
conocías	habías conocido
conocía	había conocido
conocíamos	habíamos conocido
conocíais	habíais conocido
conocían	habían conocido

Pret. perf. simple (Bello : Pretérito)	Pret. anterior (Bello : Antepretérito)
conocí	hube conocido
conociste	hubiste conocido
conoció	hubo conocido
conocimos	hubimos conocido
conocisteis	hubisteis conocido
conocieron	hubieron conocido

Futuro (Bello : Futuro)	Futuro perf. (Bello : Antefuturo)
conoceré	habré conocido
conocerás	habrás conocido
conocerá	habrá conocido
conoceremos	habremos conocido
conoceréis	habréis conocido
conocerán	habrán conocido

Condicional (Bello : Pospretérito)	Condicional perf. (Bello : Antepospretérito)
conocería	habría conocido
conocerías	habrías conocido
conocería	habría conocido
conoceríamos	habríamos conocido
conoceríais	habríais conocido
conocerían	habrían conocido

SUBJUNTIVO

Presente (Bello : Presente)	Pret. perf. (Bello : Antepresente)
conozca	haya conocido
conozcas	hayas conocido
conozca	haya conocido
conozcamos	hayamos conocido
conozcáis	hayáis conocido
conozcan	hayan conocido

Pret. imperf. (Bello : Pretérito)	Pret. pluscuamp. (Bello : Antepretérito)
conociera o conociese	hubiera o hubiese conocido
conocieras o conocieses	hubieras o hubieses conocido
conociera o conociese	hubiera o hubiese conocido
conociéramos o conociésemos	hubiéramos o hubiésemos conocido
conocierais o conocieseis	hubierais o hubieseis conocido
conocieran o conociesen	hubieran o hubiesen conocido

Futuro (Bello : Futuro)	Futuro perf. (Bello : Antefuturo)
conociere	hubiere conocido
conocieres	hubieres conocido
conociere	hubiere conocido
conociéremos	hubiéremos conocido
conociereis	hubiereis conocido
conocieren	hubieren conocido

IMPERATIVO

Presente

conoce	tú
conozca	él
conozcamos	nosotros
conoced	vosotros
conozcan	ellos

FORMAS NO PERSONALES

Infinitivo	Infinitivo compuesto
conocer	haber conocido
Gerundio	Gerundio compuesto
conociendo	habiendo conocido
Participio	
conocido	

38 lucir

INDICATIVO

Presente (Bello : Presente)	Pret. perf. comp. (Bello : Antepresente)	
luzco	he	lucido
luces	has	lucido
luce	ha	lucido
lucimos	hemos	lucido
lucís	habéis	lucido
lucen	han	lucido

Pret. imperf. (Bello : Copretérito)	Pret. pluscuamp. (Bello : Antecopretérito)	
lucía	había	lucido
lucías	habías	lucido
lucía	había	lucido
lucíamos	habíamos	lucido
lucíais	habíais	lucido
lucían	habían	lucido

Pret. perf. simple (Bello : Pretérito)	Pret. anterior (Bello : Antepretérito)	
lucí	hube	lucido
luciste	hubiste	lucido
lució	hubo	lucido
lucimos	hubimos	lucido
lucisteis	hubisteis	lucido
lucieron	hubieron	lucido

Futuro (Bello : Futuro)	Futuro perf. (Bello : Antefuturo)	
luciré	habré	lucido
lucirás	habrás	lucido
lucirá	habrá	lucido
luciremos	habremos	lucido
luciréis	habréis	lucido
lucirán	.abrán	lucido

Condicional (Bello : Pospretérito)	Condicional perf. (Bello : Antepospretérito)	
luciría	habría	lucido
lucirías	habrías	lucido
luciría	habría	lucido
luciríamos	habríamos	lucido
luciríais	habríais	lucido
lucirían	habrían	lucido

SUBJUNTIVO

Presente (Bello : Presente)	Pret. perf. (Bello : Antepresente)	
luzca	haya	lucido
luzcas	hayas	lucido
luzca	haya	lucido
luzcamos	hayamos	lucido
luzcáis	hayáis	lucido
luzcan	hayan	lucido

Pret. imperf. (Bello : Pretérito)	Pret. pluscuamp. (Bello : Antepretérito)	
luciera	hubiera	
o luciese	o hubiese	lucido
lucieras	hubieras	
o lucieses	o hubieses	lucido
luciera	hubiera	
o luciese	o hubiese	lucido
luciéramos	hubiéramos	
o luciésemos	o hubiésemos	lucido
lucierais	hubierais	
o lucieseis	o hubieseis	lucido
lucieran	hubieran	
o luciesen	o hubiesen	lucido

Futuro (Bello : Futuro)	Futuro perf. (Bello : Antefuturo)	
luciere	hubiere	lucido
lucieres	hubieres	lucido
luciere	hubiere	lucido
luciéremos	hubiéremos	lucido
luciereis	hubiereis	lucido
lucieren	hubieren	lucido

IMPERATIVO

Presente	
luce	tú
luzca	él
luzcamos	nosotros
lucid	vosotros
luzcan	ellos

FORMAS NO PERSONALES

Infinitivo lucir	Infinitivo compuesto haber lucido
Gerundio luciendo	Gerundio compuesto habiendo lucido
Participio lucido	

39 conducir

Presente (Bello : Presente)	Pret. perf. comp. (Bello : Antepresente)	
conduzco	he	conducido
conduces	has	conducido
conduce	ha	conducido
conducimos	hemos	conducido
conducís	habéis	conducido
conducen	han	conducido

Pret. imperf. (Bello : Copretérito)	Pret. pluscuamp. (Bello : Antecopretérito)	
conducía	había	conducido
conducías	habías	conducido
conducía	había	conducido
conducíamos	habíamos	conducido
conducíais	habíais	conducido
conducían	habían	conducido

Pret. perf. simple (Bello : Pretérito)	Pret. anterior (Bello : Antepretérito)	
conduje	hube	conducido
condujiste	hubiste	conducido
condujo	hubo	conducido
condujimos	hubimos	conducido
condujisteis	hubisteis	conducido
condujeron	hubieron	conducido

Futuro (Bello : Futuro)	Futuro perf. (Bello : Antefuturo)	
conduciré	habré	conducido
conducirás	habrás	conducido
conducirá	habrá	conducido
conduciremos	habremos	conducido
conduciréis	habréis	conducido
conducirán	habrán	conducido

Condicional (Bello : Pospretérito)	Condicional perf. (Bello : Antepospretérito)	
conduciría	habría	conducido
conducirías	habrías	conducido
conduciría	habría	conducido
conduciríamos	habríamos	conducido
conduciríais	habríais	conducido
conducirían	habrían	conducido

Presente (Bello : Presente)	Pret. perf. (Bello : Antepresente)	
conduzca	haya	conducido
conduzcas	hayas	conducido
conduzca	haya	conducido
conduzcamos	hayamos	conducido
conduzcáis	hayáis	conducido
conduzcan	hayan	conducido

Pret. imperf. (Bello : Pretérito)	Pret. pluscuamp. (Bello : Antepretérito)	
condujera	hubiera	
o condujese	o hubiese	conducido
condujeras	hubieras	
o condujeses	o hubieses	conducido
condujera	hubiera	
o condujese	o hubiese	conducido
condujéramos	hubiéramos	
o condujésemos	o hubiésemos	conducido
condujerais	hubierais	
o condujeseis	o hubieseis	conducido
condujeran	hubieran	
o condujesen	o hubiesen	conducido

Futuro (Bello : Futuro)	Futuro perf. (Bello : Antefuturo)	
condujere	hubiere	conducido
condujeres	hubieres	conducido
condujere	hubiere	conducido
condujéremos	hubiéremos	conducido
condujereis	hubiereis	conducido
condujeren	hubieren	conducido

Presente

conduce	tú
conduzca	él
conduzcamos	nosotros
conducid	vosotros
conduzcan	ellos

Infinitivo conducir	Infinitivo compuesto haber conducido
Gerundio conduciendo	Gerundio compuesto habiendo conducido
Participio conducido	

40 placer

Presente (Bello : Presente)	Pret. perf. comp. (Bello : Antepresente)	
plazco	he	placido
places	has	placido
place	ha	placido
placemos	hemos	placido
placéis	habéis	placido
placen	han	placido

Pret. imperf. (Bello : Copretérito)	Pret. pluscuamp. (Bello : Antecopretérito)	
placía	había	placido
placías	habías	placido
placía	había	placido
placíamos	habíamos	placido
placíais	habíais	placido
placían	habían	placido

Pret. perf. simple (Bello : Pretérito)	Pret. anterior (Bello : Antepretérito)	
plací	hube	placido
placiste	hubiste	placido
plació o plugo	hubo	placido
placimos	hubimos	placido
placisteis	hubisteis	placido
placieron *	hubieron	placido

Futuro (Bello : Futuro)	Futuro perf. (Bello : Antefuturo)	
placeré	habré	placido
placerás	habrás	placido
placerá	habrá	placido
placeremos	habremos	placido
placeréis	habréis	placido
placerán	habrán	placido

Condicional (Bello : Pospretérito)	Condicional perf. (Bello : Antepospretérito)	
placería	habría	placido
placerías	habrías	placido
placería	habría	placido
placeríamos	habríamos	placido
placeríais	habríais	placido
placerían	habrían	placido

Presente (Bello : Presente)	Pret. perf. (Bello : Antepresente)	
plazca	haya	placido
plazcas	hayas	placido
plazca o plegue	haya	placido
plazcamos	hayamos	placido
plazcáis	hayáis	placido
plazcan	hayan	placido

Pret. imperf. (Bello : Pretérito)	Pret. pluscuamp. (Bello : Antepretérito)	
placiera o placiese	hubiera o hubiese	placido
placieras	hubieras	
o placieses	o hubieses	placido
placiera o placiese **	hubiera o hubiese	placido
placiéramos o placiésemos	hubiéramos o hubiésemos	placido
placierais	hubierais	
o placieseis	o hubieseis	placido
placieran o placiesen	hubieran o hubiesen	placido

Futuro (Bello : Futuro)	Futuro perf. (Bello : Antefuturo)	
placiere	hubiere	placido
placieres	hubieres	placido
placiere ***	hubiere	placido
placiéremos	hubiéremos	placido
placiereis	hubiereis	placido
placieren	hubieren	placido

IMPERATIVO

Presente

place	tú
plazca	él
plazcamos	nosotros
placed	vosotros
plazcan	ellos

FORMAS NO PERSONALES

Infinitivo placer	Infinitivo compuesto haber placido
Gerundio placiendo.	Gerundio compuesto habiendo placido
Participio placido	

---

* o pluguieron
** o pluguiera, pluguiese
*** o pluguiere

41 asir

___ INDICATIVO ___

Presente (Bello : Presente)	Pret. perf. comp. (Bello : Antepresente)	
asgo	he	asido
ases	has	asido
ase	ha	asido
asimos	hemos	asido
asís	habéis	asido
asen	han	asido

Pret. imperf. (Bello : Copretérito)	Pret. pluscuamp. (Bello : Antecopretérito)	
asía	había	asido
asías	habías	asido
asía	había	asido
asíamos	habíamos	asido
asíais	habíais	asido
asían	habían	asido

Pret. perf. simple (Bello : Pretérito)	Pret. anterior (Bello : Antepretérito)	
así	hube	asido
asiste	hubiste	asido
asió	hubo	asido
asimos	hubimos	asido
asisteis	hubisteis	asido
asieron	hubieron	asido

Futuro (Bello : Futuro)	Futuro perf. (Bello : Antefuturo)	
asiré	habré	asido
asirás	habrás	asido
asirá	habrá	asido
asiremos	habremos	asido
asiréis	habréis	asido
asirán	habrán	asido

Condicional (Bello : Pospretérito)	Condicional perf. (Bello : Antepospretérito)	
asiría	habría	asido
asirías	habrías	asido
asiría	habría	asido
asiríamos	habríamos	asido
asiríais	habríais	asido
asirían	habrían	asido

___ SUBJUNTIVO ___

Presente (Bello : Presente)	Pret. perf. (Bello : Antepresente)	
asga	haya	asido
asgas	hayas	asido
asga	haya	asido
asgamos	hayamos	asido
asgáis	hayáis	asido
asgan	hayan	asido

Pret. imperf. (Bello : Pretérito)	Pret. pluscuamp. (Bello : Antepretérito)	
asiera	hubiera	
o asiese	o hubiese	asido
asieras	hubieras	
o asieses	o hubieses	asido
asiera	hubiera	
o asiese	o hubiese	asido
asiéramos	hubiéramos	
o asiésemos	o hubiésemos	asido
asierais	hubierais	
o asieseis	o hubieseis	asido
asieran	hubieran	
o asiesen	o hubiesen	asido

Futuro (Bello : Futuro)	Futuro perf. (Bello : Antefuturo)	
asiere	hubiere	asido
asieres	hubieres	asido
asiere	hubiere	asido
asiéremos	hubiéremos	asido
asiereis	hubiereis	asido
asieren	hubieren	asido

___ IMPERATIVO ___

Presente	
ase	tú
asga	él
asgamos	nosotros
asid	vosotros
asgan	ellos

___ FORMAS NO PERSONALES ___

Infinitivo	Infinitivo compuesto
asir	haber asido
Gerundio	Gerundio compuesto
asiendo	habiendo asido
Participio	
asido	

64

42 salir

___ INDICATIVO ___ | ___ SUBJUNTIVO ___

Presente (Bello : Presente)	Pret. perf. comp. (Bello : Antepresente)	Presente (Bello : Presente)	Pret. perf. (Bello : Antepresente)
salgo	he salido	salga	haya salido
sales	has salido	salgas	hayas salido
sale	ha salido	salga	haya salido
salimos	hemos salido	salgamos	hayamos salido
salís	habéis salido	salgáis	hayáis salido
salen	han salido	salgan	hayan salido

Pret. imperf. (Bello : Copretérito)	Pret. pıuscuamp. (Bello : Antecopretérito)	Pret. imperf. (Bello : Pretérito)	Pret. pluscuamp. (Bello : Antepretérito)
salía	había salido	saliera	hubiera
salías	habías salido	o saliese	o hubiese salido
salía	había salido	salieras	hubieras
salíamos	habíamos salido	o salieses	o hubieses salido
salíais	habíais salido	saliera	hubiera
salían	habían salido	o saliese	o hubiese salido
		saliéramos	hubiéramos
		o saliésemos	o hubiésemos salido
		salierais	hubierais
		o salieseis	o hubieseis salido
		salieran	hubieran

Pret. perf. simple (Bello : Pretérito)	Pret. anterior (Bello : Antepretérito)	o saliesen	o hubiesen salido
salí	hube salido		
saliste	hubiste salido	Futuro (Bello : Futuro)	Futuro perf. (Bello : Antefuturo)
salió	hubo salido		
salimos	hubimos salido	salière	hubiere salido
salisteis	hubisteis salido	salieres	hubieres salido
salieron	hubieron salido	saliere	hubiere salido
		saliéremos	hubiéremos salido
		saliereis	hubiereis salido
		salieren	hubieren salido

Futuro (Bello : Futuro)	Futuro perf. (Bello : Antefuturo)
saldré	habré salido
saldrás	habrás salido
saldrá	habrá salido
saldremos	habremos salido
saldréis	habréis salido
saldrán	habrán salido

___ IMPERATIVO ___

Presente

sal	tú
salga	él
salgamos	nosotros
salid	vosotros
salgan	ellos

Condicional (Bello : Pospretérito)	Condicional perf. (Bello : Antepospretérito)
saldría	habría salido
saldrías	habrías salido
saldría	habría salido
saldríamos	habríamos salido
saldríais	habríais salido
saldrían	habrían salido

___ FORMAS NO PERSONALES ___

Infinitivo	Infinitivo compuesto
salir	haber salido
Gerundio	Gerundio compuesto
saliendo	habiendo salido
Participio	
salido	

43 valer

INDICATIVO

Presente (Bello : Presente)		Pret. perf. comp. (Bello : Antepresente)	
valgo		he	valido
vales		has	valido
vale		ha	valido
valemos		hemos	valido
valéis		habéis	valido
valen		han	valido

Pret. imperf. (Bello : Copretérito)		Pret. pluscuamp. (Bello : Antecopretérito)	
valía		había	valido
valías		habías	valido
valía		había	valido
valíamos		habíamos	valido
valíais		habíais	valido
valían		habían	valido

Pret. perf. simple (Bello : Pretérito)		Pret. anterior (Bello : Antepretérito)	
valí		hube	valido
valiste		hubiste	valido
valió		hubo	valido
valimos		hubimos	valido
valisteis		hubisteis	valido
valieron		hubieron	valido

Futuro (Bello : Futuro)		Futuro perf. (Bello : Antefuturo)	
valdré		habré	valido
valdrás		habrás	valido
valdrá		habrá	valido
valdremos		habremos	valido
valdréis		habréis	valido
valdrán		habrán	valido

Condicional (Bello : Pospretérito)		Condicional perf. (Bello : Antepospretérito)	
valdría		habría	valido
valdrías		habrías	valido
valdría		habría	valido
valdríamos		habríamos	valido
valdríais		habríais	valido
valdrían		habrían	valido

SUBJUNTIVO

Presente (Bello : Presente)		Pret. perf. (Bello : Antepresente)	
valga		haya	valido
valgas		hayas	valido
valga		haya	valido
valgamos		hayamos	valido
valgáis		hayáis	valido
valgan		hayan	valido

Pret. imperf. (Bello : Pretérito)		Pret. pluscuamp. (Bello : Antepretérito)	
valiera		hubiera	
o valiese		o hubiese	valido
valieras		hubieras	
o valieses		o hubieses	valido
valiera		hubiera	
o valiese		o hubiese	valido
valiéramos		hubiéramos	
o valiésemos		o hubiésemos	valido
valierais		hubierais	
o valieseis		o hubieseis	valido
valieran		hubieran	
o valiesen		o hubiesen	valido

Futuro (Bello : Futuro)		Futuro perf. (Bello : Antefuturo)	
valiere		hubiere	valido
valieres		hubieres	valido
valiere		hubiere	valido
valiéremos		hubiéremos	valido
valiereis		hubiereis	valido
valieren		hubieren	valido

IMPERATIVO

Presente	
vale	tú
valga	él
valgamos	nosotros
valed	vosotros
valgan	ellos

FORMAS NO PERSONALES

Infinitivo	Infinitivo compuesto
valer	haber valido
Gerundio	Gerundio compuesto
valiendo	habiendo valido
Participio	
valido	

44 huir

____ INDICATIVO ____

Presente (Bello : Presente)		Pret. perf. comp. (Bello : Antepresente)	
huyo		he	huido
huyes		has	huido
huye		ha	huido
huimos		hemos	huido
huís		habéis	huido
huyen		han	huido

Pret. imperf. (Bello : Copretérito)		Pret. pluscuamp. (Bello : Antecopretérito)	
huía		había	huido
huías		habías	huido
huía		había	huido
huíamos		habíamos	huido
huíais		habíais	huido
huían		habían	huido

Pret. perf. simple (Bello : Pretérito)		Pret. anterior (Bello : Antepretérito)	
huí		hube	huido
huiste		hubiste	huido
huyó		hubo	huido
huimos		hubimos	huido
huisteis		hubisteis	huido
huyeron		hubieron	huido

Futuro (Bello : Futuro)		Futuro perf. (Bello : Antefuturo)	
huiré		habré	huido
huirás		habrás	huido
huirá		habrá	huido
huiremos		habremos	huido
huiréis		habréis	huido
huirán		habrán	huido

Condicional (Bello : Pospretérito)		Condicional perf. (Bello : Antepospretérito)	
huiría		habría	huido
huirías		habrías	huido
huiría		habría	huido
huiríamos		habríamos	huido
huiríais		habríais	huido
huirían		habrían	huido

__ SUBJUNTIVO __

Presente (Bello : Presente)		Pret. perf. (Bello : Antepresente)	
huya		haya	huido
huyas		hayas	huido
huya		haya	huido
huyamos		hayamos	huido
huyáis		hayáis	huido
huyan		hayan	huido

Pret. imperf. (Bello : Pretérito)	Pret. pluscuamp. (Bello : Antepretérito)	
huyera	hubiera	
o huyese	o hubiese	huido
huyeras	hubieras	
o huyeses	o hubieses	huido
huyera	hubiera	
o huyese	o hubiese	huido
huyéramos	hubiéramos	
o huyésemos	o hubiésemos	huido
huyerais	hubierais	
o huyeseis	o hubieseis	huido
huyeran	hubieran	
o huyesen	o hubiesen	huido

Futuro (Bello : Futuro)	Futuro perf. (Bello : Antefuturo)	
huyere	hubiere	huido
huyeres	hubieres	huido
huyere	hubiere	huido
huyéremos	hubiéremos	huido
huyereis	hubiereis	huido
huyeren	hubieren	huido

____ IMPERATIVO ____

Presente

huye	tú
huya	él
huyamos	nosotros
huid	vosotros
huyan	ellos

____ FORMAS NO PERSONALES ____

Infinitivo huir	Infinitivo compuesto haber huido
Gerundio huyendo	Gerundio compuesto habiendo huido
Participio huido	

45 oír

——— INDICATIVO ———

Presente (Bello : Presente)	Pret. perf. comp. (Bello : Antepresente)	
oigo	he	oído
oyes	has	oído
oye	ha	oído
oímos	hemos	oído
oís	habéis	oído
oyen	han	oído

Pret. imperf. (Bello : Copretérito)	Pret. pluscuamp. (Bello : Antecopretérito)	
oía	había	oído
oías	habías	oído
oía	había	oído
oíamos	habíamos	oído
oíais	habíais	oído
oían	habían	oído

Pret. perf. simple (Bello : Pretérito)	Pret. anterior (Bello : Antepretérito)	
oí	hube	oído
oíste	hubiste	oído
oyó	hubo	oído
oímos	hubimos	oído
oísteis	hubisteis	oído
oyeron	hubieron	oído

Futuro (Bello : Futuro)	Futuro perf. (Bello : Antefuturo)	
oiré	habré	oído
oirás	habrás	oído
oirá	habrá	oído
oiremos	habremos	oído
oiréis	habréis	oído
oirán	habrán	oído

Condicional (Bello : Pospretérito)	Condicional perf. (Bello : Antepospretérito)	
oiría	habría	oído
oirías	habrías	oído
oiría	habría	oído
oiríamos	habríamos	oído
oiríais	habríais	oído
oirían	habrían	oído

——— SUBJUNTIVO ———

Presente (Bello : Presente)	Pret. perf. (Bello : Antepresente)	
oiga	haya	oído
oigas	hayas	oído
oiga	haya	oído
oigamos	hayamos	oído
oigáis	hayáis	oído
oigan	hayan	oído

Pret. imperf. (Bello : Pretérito)	Pret. pluscuamp. (Bello : Antepretérito)	
oyera	hubiera	
u oyese	o hubiese	oído
oyeras	hubieras	
u oyeses	o hubieses	oído
oyera	hubiera	
u oyese	o hubiese	oído
oyéramos	hubiéramos	
u oyésemos	o hubiésemos	oído
oyerais	hubierais	
u oyeseis	o hubieseis	oído
oyeran	hubieran	
u oyesen	o hubiesen	oído

Futuro (Bello : Futuro)	Futuro perf. (Bello : Antefuturo)	
oyere	hubiere	oído
oyeres	hubieres	oído
oyere	hubiere	oído
oyéremos	hubiéremos	oído
oyereis	hubiereis	oído
oyeren	hubieren	oído

——— IMPERATIVO ———

Presente

oye	tú
oiga	él
oigamos	nosotros
oíd	vosotros
oigan	ellos

——— FORMAS NO PERSONALES ———

Infinitivo	Infinitivo compuesto
oír	haber oído
Gerundio	Gerundio compuesto
oyendo	habiendo oído
Participio	
oído	

46 decir

―――― **INDICATIVO** ――――

Presente (Bello : Presente)	Pret. perf. comp. (Bello : Antepresente)	
digo	he	dicho
dices	has	dicho
dice	ha	dicho
decimos	hemos	dicho
decís	habéis	dicho
dicen	han	dicho

Pret. imperf. (Bello : Copretérito)	Pret. pluscuamp. (Bello : Antecopretérito)	
decía	había	dicho
decías	habías	dicho
decía	había	dicho
decíamos	habíamos	dicho
decíais	habíais	dicho
decían	habían	dicho

Pret. perf. simple (Bello : Pretérito)	Pret. anterior (Bello : Antepretérito)	
dije	hube	dicho
dijiste	hubiste	dicho
dijo	hubo	dicho
dijimos	hubimos	dicho
dijisteis	hubisteis	dicho
dijeron	hubieron	dicho

Futuro (Bello : Futuro)	Futuro perf. (Bello : Antefuturo)	
diré	habré	dicho
dirás	habrás	dicho
dirá	habrá	dicho
diremos	habremos	dicho
diréis	habréis	dicho
dirán	habrán	dicho

Condicional (Bello : Pospretérito)	Condicional perf. (Bello : Antepospretérito)	
diría	habría	dicho
dirías	habrías	dicho
diría	habría	dicho
diríamos	habríamos	dicho
diríais	habríais	dicho
dirían	habrían	dicho

―――― **SUBJUNTIVO** ――――

Presente (Bello : Presente)	Pret. perf. (Bello : Antepresente)	
diga	haya	dicho
digas	hayas	dicho
diga	haya	dicho
digamos	hayamos	dicho
digáis	hayáis	dicho
digan	hayan	dicho

Pret. imperf. (Bello : Pretérito)	Pret. pluscuamp. (Bello : Antepretérito)	
dijera	hubiera	
o dijese	o hubiese	dicho
dijeras	hubieras	
o dijeses	o hubieses	dicho
dijera	hubiera	
o dijese	o hubiese	dicho
dijéramos	hubiéramos	
o dijésemos	o hubiésemos	dicho
dijerais	hubierais	
o dijeseis	o hubieseis	dicho
dijeran	hubieran	
o dijesen	o hubiesen	dicho

Futuro (Bello : Futuro)	Futuro perf. (Bello : Antefuturo)	
dijere	hubiere	dicho
dijeres	hubieres	dicho
dijere	hubiere	dicho
dijéremos	hubiéremos	dicho
dijereis	hubiereis	dicho
dijeren	hubieren	dicho

―――― **IMPERATIVO** ――――

Presente

di	tú
diga	él
digamos	nosotros
decid	vosotros
digan	ellos

―――― **FORMAS NO PERSONALES** ――――

Infinitivo	Infinitivo compuesto
decir	haber dicho
Gerundio	**Gerundio compuesto**
diciendo	habiendo dicho
Participio	
dicho	

47 predecir

___ INDICATIVO ___

Presente (Bello : Presente)	Pret. perf. comp. (Bello : Antepresente)	
predigo	he	predicho
predices	has	predicho
predice	ha	predicho
predecimos	hemos	predicho
predecís	habéis	predicho
predicen	han	predicho

Pret. imperf. (Bello : Copretérito)	Pret. pluscuamp. (Bello : Antecopretérito)	
predecía	había	predicho
predecías	habías	predicho
predecía	había	predicho
predecíamos	habíamos	predicho
predecíais	habíais	predicho
predecían	habían	predicho

Pret. perf. simple (Bello : Pretérito)	Pret. anterior (Bello : Antepretérito)	
predije	hube	predicho
predijiste	hubiste	predicho
predijo	hubo	predicho
predijimos	hubimos	predicho
predijisteis	hubisteis	predicho
predijeron	hubieron	predicho

Futuro (Bello : Futuro)	Futuro perf. (Bello : Antefuturo)	
predeciré	habré	predicho
predecirás	habrás	predicho
predecirá	habrá	predicho
predeciremos	habremos	predicho
predeciréis	habréis	predicho
predecirán	habrán	predicho

Condicional (Bello : Pospretérito)	Condicional perf. (Bello : Antepospretérito)	
predeciría	habría	predicho
predecirías	habrías	predicho
predeciría	habría	predicho
predeciríamos	habríamos	predicho
predeciríais	habríais	predicho
predecirían	habrían	predicho

___ SUBJUNTIVO ___

Presente (Bello : Presente)	Pret. perf. (Bello : Antepresente)	
prediga	haya	predicho
predigas	hayas	predicho
prediga	haya	predicho
predigamos	hayamos	predicho
predigáis	hayáis	predicho
predigan	hayan	predicho

Pret. imperf. (Bello : Pretérito)	Pret. pluscuamp. (Bello : Antepretérito)	
predijera	hubiera	
o predijese	o hubiese	predicho
predijeras	hubieras	
o predijeses	o hubieses	predicho
predijera	hubiera	
o predijese	o hubiese	predicho
predijéramos	hubiéramos	
o predijésemos	o hubiésemos	predicho
predijerais	hubierais	
o predijeseis	o hubieseis	predicho
predijeran	hubieran	
o predijesen	o hubiesen	predicho

Futuro (Bello : Futuro)	Futuro perf. (Bello : Antefuturo)	
predijere	hubiere	predicho
predijeres	hubieres	predicho
predijere	hubiere	predicho
predijéremos	hubiéremos	predicho
predijereis	hubiereis	predicho
predijeren	hubieren	predicho

___ IMPERATIVO ___

Presente

predice	tú
prediga	él
predigamos	nosotros
predecid	vosotros
predigan	ellos

___ FORMAS NO PERSONALES ___

Infinitivo	Infinitivo compuesto
predecir	haber predicho
Gerundio	Gerundio compuesto
prediciendo	habiendo predicho
Participio	
predicho	

48 caber

Presente
(Bello : Presente)

quepo	
cabes	
cabe	
cabemos	
cabéis	
caben	

Pret. perf. comp.
(Bello : Antepresente)

he	cabido
has	cabido
ha	cabido
hemos	cabido
habéis	cabido
han	cabido

Pret. imperf.
(Bello : Copretérito)

cabía
cabías
cabía
cabíamos
cabíais
cabían

Pret. pluscuamp.
(Bello : Antecopretérito)

había	cabido
habías	cabido
había	cabido
habíamos	cabido
habíais	cabido
habían	cabido

Pret. perf. simple
(Bello : Pretérito)

cupe
cupiste
cupo
cupimos
cupisteis
cupieron

Pret. anterior
(Bello : Antepretérito)

hube	cabido
hubiste	cabido
hubo	cabido
hubimos	cabido
hubisteis	cabido
hubieron	cabido

Futuro
(Bello : Futuro)

cabré
cabrás
cabrá
cabremos
cabréis
cabrán

Futuro perf.
(Bello : Antefuturo)

habré	cabido
habrás	cabido
habrá	cabido
habremos	cabido
habréis	cabido
habrán	cabido

Condicional
(Bello : Pospretérito)

cabría
cabrías
cabría
cabríamos
cabríais
cabrían

Condicional perf.
(Bello : Antepospretérito)

habría	cabido
habrías	cabido
habría	cabido
habríamos	cabido
habríais	cabido
habrían	cabido

Presente
(Bello : Presente)

quepa
quepas
quepa
quepamos
quepáis
quepan

Pret. perf.
(Bello : Antepresente)

haya	cabido
hayas	cabido
haya	cabido
hayamos	cabido
hayáis	cabido
hayan	cabido

Pret. imperf.
(Bello : Pretérito)

cupiera
o cupiese
cupieras
o cupieses
cupiera
o cupiese
cupiéramos
o cupiésemos
cupierais
o cupieseis
cupieran
o cupiesen

Pret. pluscuamp.
(Bello : Antepretérito)

hubiera	
o hubiese	cabido
hubieras	
o hubieses	cabido
hubiera	
o hubiese	cabido
hubiéramos	
o hubiésemos	cabido
hubierais	
o hubieseis	cabido
hubieran	
o hubiesen	cabido

Futuro
(Bello : Futuro)

cupiere
cupieres
cupiere
cupiéremos
cupiereis
cupieren

Futuro perf.
(Bello : Antefuturo)

hubiere	cabido
hubieres	cabido
hubiere	cabido
hubiéremos	cabido
hubiereis	cabido
hubieren	cabido

Presente

cabe	tú
quepa	él
quepamos	nosotros
cabed	vosotros
quepan	ellos

Infinitivo	Infinitivo compuesto
caber	haber cabido
Gerundio	**Gerundio compuesto**
cabiendo	habiendo cabido
Participio	
cabido	

49 saber

INDICATIVO

Presente (Bello : Presente)	Pret. perf. comp. (Bello : Antepresente)	
sé	he	sabido
sabes	has	sabido
sabe	ha	sabido
sabemos	hemos	sabido
sabéis	habéis	sabido
saben	han	sabido

Pret. imperf. (Bello : Copretérito)	Pret. pluscuamp. (Bello : Antecopretérito)	
sabía	había	sabido
sabías	habías	sabido
sabía	había	sabido
sabíamos	habíamos	sabido
sabíais	habíais	sabido
sabían	habían	sabido

Pret. perf. simple (Bello : Pretérito)	Pret. anterior (Bello : Antepretérito)	
supe	hube	sabido
supiste	hubiste	sabido
supo	hubo	sabido
supimos	hubimos	sabido
supisteis	hubisteis	sabido
supieron	hubieron	sabido

Futuro (Bello : Futuro)	Futuro perf. (Bello : Antefuturo)	
sabré	habré	sabido
sabrás	habrás	sabido
sabrá	habrá	sabido
sabremos	habremos	sabido
sabréis	habréis	sabido
sabrán	habrán	sabido

Condicional (Bello : Pospretérito)	Condicíonal perf. (Bello : Antepospretérito)	
sabría	habría	sabido
sabrías	habrías	sabido
sabría	habría	sabido
sabríamos	habríamos	sabido
sabríais	habríais	sabido
sabrían	habrían	sabido

SUBJUNTIVO

Presente (Bello : Presente)	Pret. perf. (Bello : Antepresente)	
sepa	haya	sabido
sepas	hayas	sabido
sepa	haya	sabido
sepamos	hayamos	sabido
sepáis	hayáis	sabido
sepan	hayan	sabido

Pret. imperf. (Bello : Pretérito)	Pret. pluscuamp. (Bello : Antepretérito)	
supiera	hubiera	
o supiese	o hubiese	sabido
supieras	hubieras	
o supieses	o hubieses	sabido
supiera	hubiera	
o supiese	o hubiese	sabido
supiéramos	hubiéramos	
o supiésemos	o hubiésemos	sabido
supierais	hubierais	
o supieseis	o hubieseis	sabido
supieran	hubieran	
o supiesen	o hubiesen	sabido

Futuro (Bello : Futuro)	Futuro perf. (Bello : Antefuturo)	
supiere	hubiere	sabido
supieres	hubieres	sabido
supiere	hubiere	sabido
supiéremos	hubiéremos	sabido
supiereis	hubiereis	sabido
supieren	hubieren	sabido

IMPERATIVO

Presente

sabe	tú
sepa	él
sepamos	nosotros
sabed	vosotros
sepan	ellos

FORMAS NO PERSONALES

Infinitivo	Infinitivo compuesto
saber	haber sabido
Gerundio	Gerundio compuesto
sabiendo	habiendo sabido
Participio	
sabido	

50 caer

Presente
(Bello : Presente)

caigo
caes
cae
caemos
caéis
caen

Pret. perf. comp.
(Bello : Antepresente)

he   caído
has   caído
ha   caído
hemos   caído
habéis   caído
han   caído

Pret. imperf.
(Bello : Copretérito)

caía
caías
caía
caíamos
caíais
caían

Pret. pluscuamp.
(Bello : Antecopretérito)

había   caído
habías   caído
había   caído
habíamos caído
habíais caído
habían   caído

Pret. perf. simple
(Bello : Pretérito)

caí
caíste
cayó
caímos
caísteis
cayeron

Pret. anterior
(Bello : Antepretérito)

hube   caído
hubiste caído
hubo   caído
hubimos caído
hubisteis caído
hubieron caído

Futuro
(Bello : Futuro)

caeré
caerás
caerá
caeremos
caeréis
caerán

Futuro perf.
(Bello : Antefuturo)

habré   caído
habrás   caído
habrá   caído
habremos caído
habréis caído
habrán   caído

Condicional
(Bello : Pospretérito)

caería
caerías
caería
caeríamos
caeríais
caerían

Condicional perf.
(Bello : Antepospretérito)

habría   caído
habrías caído
habría   caído
habríamos caído
habríais caído
habrían caído

Presente
(Bello : Presente)

caiga
caigas
caiga
caigamos
caigáis
caigan

Pret. perf.
(Bello : Antepresente)

haya   caído
hayas   caído
haya   caído
hayamos caído
hayáis   caído
hayan   caído

Pret. imperf.
(Bello : Pretérito)

cayera
o cayese
cayeras
o cayeses
cayera
o cayese
cayéramos
o cayésemos
cayerais
o cayeseis
cayeran
o cayesen

Pret. pluscuamp.
(Bello : Antepretérito)

hubiera
o hubiese   caído
hubieras
o hubieses   caído
hubiera
o hubiese   caído
hubiéramos
o hubiésemos caído
hubierais
o hubieseis caído
hubieran
o hubiesen   caído

Futuro
(Bello : Futuro)

cayere
cayeres
cayere
cayéremos
cayereis
cayeren

Futuro perf.
(Bello : Antefuturo)

hubiere   caído
hubieres caído
hubiere   caído
hubiéremos caído
hubiereis caído
hubieren caído

_____ IMPERATIVO _____

Presente

cae   tú
caiga   él
caigamos nosotros
caed   vosotros
caigan   ellos

_____ FORMAS NO PERSONALES _____

Infinitivo
caer

Infinitivo compuesto
haber caído

Gerundio
cayendo

Gerundio compuesto
habiendo caído

Participio
caído

51 traer

—— INDICATIVO —————

Presente (Bello : Presente)	Pret. perf. comp. (Bello : Antepresente)	
traigo	he	traído
traes	has	traído
trae	ha	traído
traemos	hemos	traído
traéis	habéis	traído
traen	han	traído

Pret. imperf. (Bello : Copretérito)	Pret. pluscuamp. (Bello : Antecopretérito)	
traía	había	traído
traías	habías	traído
traía	había	traído
traíamos	habíamos	traído
traíais	habíais	traído
traían	habían	traído

Pret. perf. simple (Bello : Pretérito)	Pret. anterior (Bello : Antepretérito)	
traje	hube	traído
trajiste	hubiste	traído
trajo	hubo	traído
trajimos	hubimos	traído
trajisteis	hubisteis	traído
trajeron	hubieron	traído

Futuro (Bello : Futuro)	Futuro perf. (Bello : Antefuturo)	
traeré	habré	traído
traerás	habrás	traído
traerá	habrá	traído
traeremos	habremos	traído
traeréis	habréis	traído
traerán	habrán	traído

Condicional (Bello : Pospretérito)	Condicional perf. (Bello : Antepospretérito)	
traería	habría	traído
traerías	habrías	traído
traería	habría	traído
traeríamos	habríamos	traído
traeríais	habríais	traído
traerían	habrían	traído

—— SUBJUNTIVO —————

Presente (Bello : Presente)	Pret. perf. (Bello : Antepresente)	
traiga	haya	traído
traigas	hayas	traído
traiga	haya	traído
traigamos	hayamos	traído
traigáis	hayáis	traído
traigan	hayan	traído

Pret. imperf. (Bello : Pretérito)	Pret. pluscuamp. (Bello : Antepretérito)	
trajera	hubiera	
o trajese	o hubiese	traído
trajeras	hubieras	
o trajeses	o hubieses	traído
trajera	hubiera	
o trajese	o hubiese	traído
trajéramos	hubiéramos	
o trajésemos	o hubiésemos	traído
trajerais	hubierais	
o trajeseis	o hubieseis	traído
trajeran	hubieran	
o trajesen	o hubiesen	traído

Futuro (Bello : Futuro)	Futuro perf. (Bello : Antefuturo)	
trajere	hubiere	traído
trajeres	hubieres	traído
trajere	hubiere	traído
trajéremos	hubiéremos	traído
trajereis	hubiereis	traído
trajeren	hubieren	traído

—— IMPERATIVO —————

Presente

trae	tú
traiga	él
traigamos	nosotros
traed	vosotros
traigan	ellos

—— FORMAS NO PERSONALES ——

Infinitivo	Infinitivo compuesto
traer	haber traído
Gerundio	Gerundio compuesto
trayendo	habiendo traído
Participio	
traído	

74

52 raer

___ INDICATIVO ___

Presente (Bello : Presente)	Pret. perf. comp. (Bello : Antepresente)	
rao*	he	raído
raes	has	raído
rae	ha	raído
raemos	hemos	raído
raéis	habéis	raído
raen	han	raído

Pret. imperf. (Bello : Copretérito)	Pret. pluscuamp. (Bello : Antecopretérito)	
raía	había	raído
raías	habías	raído
raía	había	raído
raíamos	habíamos	raído
raíais	habíais	raído
raían	habían	raído

Pret. perf. simple (Bello : Pretérito)	Pret. anterior (Bello : Antepretérito)	
raí	hube	raído
raíste	hubiste	raído
rayó	hubo	raído
raímos	hubimos	raído
raísteis	hubisteis	raído
rayeron	hubieron	raído

Futuro (Bello : Futuro)	Futuro perf. (Bello : Antefuturo)	
raeré	habré	raído
raerás	habrás	raído
raerá	habrá	raído
raeremos	habremos	raído
raeréis	habréis	raído
raerán	habrán	raído

Condicional (Bello : Pospretérito)	Condicional perf. (Bello : Antepospretérito)	
raería	habría	raído
raerías	habrías	raído
raería	habría	raído
raeríamos	habríamos	raído
raeríais	habríais	raído
raerían	habrían	raído

___ SUBJUNTIVO ___

Presente (Bello : Presente)	Pret. perf. (Bello : Antepresente)	
raiga**	haya	raído
raigas	hayas	raído
raiga	haya	raído
raigamos	hayamos	raído
raigáis	hayáis	raído
raigan	hayan	raído

Pret. imperf. (Bello : Pretérito)	Pret. pluscuamp. (Bello : Antepretérito)	
rayera	hubiera	
o rayese	o hubiese	raído
rayeras	hubieras	
o rayeses	o hubieses	raído
rayera	hubiera	
o rayese	o hubiese	raído
rayéramos	hubiéramos	
o rayésemos	o hubiésemos	raído
rayerais	hubierais	
o rayeseis	o hubieseis	raído
rayeran	hubieran	
o rayesen	o hubiesen	raído

Futuro (Bello : Futuro)	Futuro perf. (Bello : Antefuturo)	
rayere	hubiere	raído
rayeres	hubieres	raído
rayere	hubiere	raído
rayéremos	hubiéremos	raído
rayereis	hubiereis	raído
rayeren	hubieren	raído

___ IMPERATIVO ___

Presente

rae	tú
raiga o raya	él
raigamos o rayamos	nosotros
raed	vosotros
raigan o rayan	ellos

___ FORMAS NO PERSONALES ___

Infinitivo	Infinitivo compuesto
raer	haber raído
Gerundio	Gerundio compuesto
rayendo	habiendo raído
Participio	
raído	

* o raigo o rayo
** o raya, rayas, etc.

53 roer

____ INDICATIVO ____

Presente (Bello : Presente)		Pret. perf. comp. (Bello : Antepresente)	
roo*		he	roído
roes		has	roído
roe		ha	roído
roemos		hemos	roído
roéis		habéis	roído
roen		han	roído

Pret. imperf. (Bello : Copretérito)		Pret. pluscuamp. (Bello : Antecopretérito)	
roía		había	roído
roías		habías	roído
roía		había	roído
roíamo		habíamos	roído
roíais		habíais	roído
roían		habían	roído

Pret. perf. simple (Bello : Pretérito)		Pret. anterior (Bello : Antepretérito)	
roí		hube	roído
roíste		hubiste	roído
royó		hubo	roído
roimos		hubimos	roído
roísteis		hubisteis	roído
royeron		hubieron	roído

Futuro (Bello : Futuro)		Futuro perf. (Bello : Antefuturo)	
roeré		habré	roído
roerás		habrás	roído
roerá		habrá	roído
roeremos		habremos	roído
roeréis		habréis	roído
roerán		habrán	roído

Condicional (Bello : Pospretérito)		Condicional perf. (Bello : Antepospretérito)	
roería		habría	roído
roerías		habrías	roído
roería		habría	roído
roeríamos		habríamos	roído
roeríais		habríais	roído
roerían		habrían	roído

____ SUBJUNTIVO ____

Presente (Bello : Presente)		Pret. perf. (Bello : Antepresente)	
roa**		haya	roído
roas		hayas	roído
roa		haya	roído
roamos		hayamos	roído
roáis		hayáis	roído
roan		hayan	roído

Pret. imperf. (Bello : Pretérito)		Pret. pluscuamp. (Bello : Antepretérito)	
royera		hubiera	
o royese		o hubiese	roído
royeras		hubieras	
o royeses		o hubieses	roído
royera		hubiera	
o royese		o hubiese	roído
royéramos		hubiéramos	
o royésemos		o hubiésemos	roído
royerais		hubierais	
o royeseis		o hubieseis	roído
royeran		hubieran	
o royesen		o hubiesen	roído

Futuro (Bello : Futuro)		Futuro perf. (Bello : Antefuturo)	
royere		hubiere	roído
royeres		hubieres	roído
royere		hubiere	roído
royéremos		hubiéremos	roído
royereis		hubiereis	roído
royeren		hubieren	roído

____ IMPERATIVO ____

Presente

roe	tú
roa, roiga o roya	él
roamos, roigamos o royamos	nosotros
roed	vosotros
roan, roigan o royan	ellos

____ FORMAS NO PERSONALES ____

Infinitivo	Infinitivo compuesto
roer	haber roído
Gerundio	**Gerundio compuesto**
royendo	habiendo roído
Participio	
roído	

* o roigo o royo
** o roiga o roya. roigas o royas. etc.

54 leer

—— INDICATIVO ——

Presente (Bello : Presente)		Pret. perf. comp. (Bello : Antepresente)	
leo		he	leído
lees		has	leído
lee		ha	leído
leemos		hemos	leído
leéis		habéis	leído
leen		han	leído

Pret. imperf. (Bello : Copretérito)		Pret. pluscuamp. (Bello : Antecopretérito)	
leía		había	leído
leías		habías	leído
leía		había	leído
leíamos		habíamos	leído
leíais		habíais	leído
leían		habían	leído

Pret. perf. simple (Bello : Pretérito)		Pret. anterior (Bello : Antepretérito)	
leí		hube	leído
leíste		hubiste	leído
leyó		hubo	leído
leímos		hubimos	leído
leísteis		hubisteis	leído
leyeron		hubieron	leído

Futuro (Bello : Futuro)		Futuro perf. (Bello : Antefuturo)	
leeré		habré	leído
leerás		habrás	leído
leerá		habrá	leído
leeremos		habremos	leído
leeréis		habréis	leído
leerán		habrán	leído

Condicional (Bello : Pospretérito)		Condicional perf. (Bello : Antepospretérito)	
leería		habría	leído
leerías		habrías	leído
leería		habría	leído
leeríamos		habríamos	leído
leeríais		habríais	leído
leerían		habrían	leído

—— SUBJUNTIVO ——

Presente (Bello : Presente)		Pret. perf. (Bello : Antepresente)	
lea		haya	leído
leas		hayas	leído
lea		haya	leído
leamos		hayamos	leído
leáis		hayáis	leído
lean		hayan	leído

Pret. imperf. (Bello : Pretérito)		Pret. pluscuamp. (Bello : Antepretérito)	
leyera		hubiera	
o leyese		o hubiese	leído
leyeras		hubieras	
o leyeses		o hubieses	leído
leyera		hubiera	
o leyese		o hubiese	leído
leyéramos		hubiéramos	
o leyésemos		o hubiésemos	leído
leyerais		hubierais	
o leyeseis		o hubieseis	leído
leyeran		hubieran	
o leyesen		o hubiesen	leído

Futuro (Bello : Futuro)		Futuro perf. (Bello : Antefuturo)	
leyere		hubiere	leído
leyeres		hubieres	leído
leyere		hubiere	leído
leyéremos		hubiéremos	leído
leyereis		hubiereis	leído
leyeren		hubieren	leído

—— IMPERATIVO ——

Presente

lee	tú
lea	él
leamos	nosotros
leed	vosotros
lean	ellos

—— FORMAS NO PERSONALES ——

Infinitivo	Infinitivo compuesto
leer	haber leído

Gerundio	Gerundio compuesto
leyendo	habiendo leído

Participio
leído

55 ver

---- **INDICATIVO** ----   ---- **SUBJUNTIVO** ----

Presente (Bello : Presente)	Pret. perf. comp. (Bello : Antepresente)		Presente (Bello : Presente)	Pret. perf. comp. (Bello : Antepresente)	
veo	he	visto	vea	haya	visto
ves	has	visto	veas	hayas	visto
ve	ha	visto	vea	haya	visto
vemos	hemos	visto	veamos	hayamos	visto
veis	habéis	visto	veáis	hayáis	visto
ven	han	visto	vean	hayan	visto

Pret. imperf. (Bello : Copretérito)	Pret. pluscuamp. (Bello : Antecopretérito)		Pret. imperf. (Bello : Pretérito)	Pret. pluscuamp. (Bello : Antepretérito)	
veía	había	visto	viera	hubiera	
veías	habías	visto	o viese	o hubiese	visto
veía	había	visto	vieras	hubieras	
veíamos	habíamos	visto	o vieses	o hubieses	visto
veíais	habíais	visto	viera	hubiera	
veían	habían	visto	o viese	o hubiese	visto
			viéramos	hubiéramos	
			o viésemos	o hubiésemos	visto
			vierais	hubierais	
			o vieseis	o hubieseis	visto
			vieran	hubieran	
			o viesen	o hubiesen	visto

Pret. perf. simple (Bello : Pretérito)	Pret. anterior (Bello : Antepretérito)	
vi	hube	visto
viste	hubiste	visto
vio	hubo	visto
vimos	hubimos	visto
visteis	hubisteis	visto
vieron	hubieron	visto

Futuro (Bello : Futuro)	Futuro perf. (Bello : Antefuturo)	
viere	hubiere	visto
vieres	hubieres	visto
viere	hubiere	visto
viéremos	hubiéremos	visto
viereis	hubiereis	visto
vieren	hubieren	visto

Futuro (Bello : Futuro)	Futuro perf. (Bello : Antefuturo)	
veré	habré	visto
verás	habrás	visto
verá	habrá	visto
veremos	habremos	visto
veréis	habréis	visto
verán	habrán	visto

---- **IMPERATIVO** ----

Presente

ve	tú
vea	él
veamos	nosotros
ved	vosotros
vean	ellos

Condicional (Bello : Pospretérito)	Condicional perf. (Bello : Antepospretérito)	
vería	habría	visto
verías	habrías	visto
vería	habría	visto
veríamos	habríamos	visto
veríais	habríais	visto
verían	habrían	visto

---- **FORMAS NO PERSONALES** ----

Infinitivo	Infinitivo compuesto
ver	haber visto
Gerundio	Gerundio compuesto
viendo	habiendo visto
Participio	
visto	

56 dar

Presente
(Bello : Presente)

doy
das
da
damos
dais
dan

Pret. perf. comp.
(Bello : Antepresente)

he dado
has dado
ha dado
hemos dado
habéis dado
han dado

Pret. imperf.
(Bello : Copretérito)

daba
dabas
daba
dábamos
dabais
daban

Pret. pluscuamp.
(Bello : Antecopretérito)

había dado
habías dado
había dado
habíamos dado
habíais dado
habían dado

Pret. perf. simple
(Bello : Pretérito)

di
diste
dio
dimos
disteis
dieron

Pret. anterior
(Bello : Antepretérito)

hube dado
hubiste dado
hubo dado
hubimos dado
hubisteis dado
hubieron dado

Futuro
(Bello : Futuro)

daré
darás
dará
daremos
daréis
darán

Futuro perf.
(Bello : Antefuturo)

habré dado
habrás dado
habrá dado
habremos dado
habréis dado
habrán dado

Condicional
(Bello : Pospretérito)

daría
darías
daría
daríamos
daríais
darían

Condicional perf.
(Bello : Antepospretérito)

habría dado
habrías dado
habría dado
habríamos dado
habríais dado
habrían dado

SUBJUNTIVO

Presente
(Bello : Presente)

dé
des
dé
demos
deis
den

Pret. perf.
(Bello : Antepresente)

haya dado
hayas dado
haya dado
hayamos dado
hayáis dado
hayan dado

Pret. imperf.
(Bello : Pretérito)

diera
o diese
dieras
o dieses
diera
o diese
diéramos
o diésemos
dierais
o dieseis
dieran
o diesen

Pret. pluscuamp.
(Bello : Antepretérito)

hubiera
o hubiese dado
hubieras
o hubieses dado
hubiera
o hubiese dado
hubiéramos
o hubiésemos dado
hubierais
o hubieseis dado
hubieran
o hubiesen dado

Futuro
(Bello : Futuro)

diere
dieres
diere
diéremos
diereis
dieren

Futuro perf.
(Bello : Antefuturo)

hubiere dado
hubieres dado
hubiere dado
hubiéremos dado
hubiereis dado
hubieren dado

IMPERATIVO

Presente

da tú
dé él
demos nosotros
dad vosotros
den ellos

FORMAS NO PERSONALES

Infinitivo
dar

Infinitivo compuesto
haber dado

Gerundio
dando

Gerundio compuesto
habiendo dado

Participio
dado

57 estar

____ INDICATIVO ____

Presente (Bello : Presente)	Pret. perf. comp. (Bello : Antepresente)
estoy	he estado
estás	has estado
está	ha estado
estamos	hemos estado
estáis	habéis estado
están	han estado

Pret. imperf. (Bello : Copretérito)	Pret. pluscuamp. (Bello : Antecopretérito)
estaba	había estado
estabas	habías estado
estaba	había estado
estábamos	habíamos estado
estabais	habíais estado
estaban	habían estado

Pret. perf. simple (Bello : Pretérito)	Pret. anterior (Bello : Antepretérito)
estuve	hube estado
estuviste	hubiste estado
estuvo	hubo estado
estuvimos	hubimos estado
estuvisteis	hubisteis estado
estuvieron	hubieron estado

Futuro (Bello : Futuro)	Futuro perf. (Bello : Antefuturo)
estaré	habré estado
estarás	habrás estado
estará	habrá estado
estaremos	habremos estado
estaréis	habréis estado
estarán	habrán estado

Condicional (Bello : Pospretérito)	Condicional perf. (Bello : Antepospretérito)
estaría	habría estado
estarías	habrías estado
estaría	habría estado
estaríamos	habríamos estado
estaríais	habríais estado
estarían	habrían estado

____ SUBJUNTIVO ____

Presente (Bello : Presente)	Pret. perf. (Bello : Antepresente)
esté	haya estado
estés	hayas estado
esté	haya estado
estemos	hayamos estado
estéis	hayáis estado
estén	hayan estado

Pret. imperf. (Bello : Pretérito)	Pret. pluscuamp. (Bello : Antepretérito)
estuviera	hubiera
o estuviese	o hubiese estado
estuvieras	hubieras
o estuvieses	o hubieses estado
estuviera	hubiera
o estuviese	o hubiese estado
estuviéramos	hubiéramos
o estuviésemos	o hubiésemos estado
estuvierais	hubierais
o estuvieseis	o hubieseis estado
estuvieran	hubieran
o estuviesen	o hubiesen estado

Futuro (Bello : Futuro)	Futuro perf. (Bello : Antefuturo)
estuviere	hubiere estado
estuvieres	hubieres estado
estuviere	hubiere estado
estuviéremos	hubiéremos estado
estuviereis	hubiereis estado
estuvieren	hubieren estado

____ IMPERATIVO ____

Presente

está	tú
esté	él
estemos	nosotros
estad	vosotros
estén	ellos

____ FORMAS NO PERSONALES ____

Infinitivo	Infinitivo compuesto
estar	haber estado

Gerundio	Gerundio compuesto
estando	habiendo estado

Participio	
estado	

58 ir

—— INDICATIVO ——

Presente (Bello : Presente)	Pret. perf. comp. (Bello : Antepresente)	
voy	he	ido
vas	has	ido
va	ha	ido
vamos	hemos	ido
vais	habéis	ido
van	han	ido

Pret. imperf. (Bello : Copretérito)	Pret. pluscuamp. (Bello : Antecopretérito)	
iba	había	ido
ibas	habías	ido
iba	había	ido
íbamos	habíamos	ido
ibais	habíais	ido
iban	habían	ido

Pret. perf. simple (Bello : Pretérito)	Pret. anterior (Bello : Antepretérito)	
fui	hube	ido
fuiste	hubiste	ido
fue	hubo	ido
fuimos	hubimos	ido
fuisteis	hubisteis	ido
fueron	hubieron	ido

Futuro (Bello : Futuro)	Futuro perf. (Bello : Antefuturo)	
iré	habré	ido
irás	habrás	ido
irá	habrá	ido
iremos	habremos	ido
iréis	habréis	ido
irán	habrán	ido

Condicional (Bello : Pospretérito)	Condicional perf. (Bello : Antepospretérito)	
iría	habría	ido
irías	habrías	ido
iría	habría	ido
iríamos	habríamos	ido
iríais	habríais	ido
irían	habrían	ido

—— SUBJUNTIVO ——

Presente (Bello : Presente)	Pret. perf. (Bello : Antepresente)	
vaya	haya	ido
vayas	hayas	ido
vaya	haya	ido
vayamos	hayamos	ido
vayáis	hayáis	ido
vayan	hayan	ido

Pret. imperf. (Bello : Pretérito)	Pret. pluscuamp. (Bello : Antepretérito)	
fuera	hubiera	
o fuese	o hubiese	ido
fueras	hubieras	
o fueses	o hubieses	ido
fuera	hubiera	
o fuese	o hubiese	ido
fuéramos	hubiéramos	
o fuésemos	o hubiésemos	ido
fuerais	hubierais	
o fueseis	o hubieseis	ido
fueran	hubieran	
o fuesen	o hubiesen	ido

Futuro (Bello : Futuro)	Futuro perf. (Bello : Antefuturo)	
fuere	hubiere	ido
fueres	hubieres	ido
fuere	hubiere	ido
fuéremos	hubiéremos	ido
fuereis	hubiereis	ido
fueren	hubieren	ido

—— IMPERATIVO ——

Presente

ve	tú
vaya	él
vayamos	nosotros
id	vosotros
vayan	ellos

—— FORMAS NO PERSONALES ——

Infinitivo	Infinitivo compuesto
ir	haber ido
Gerundio	Gerundio compuesto
yendo	habiendo ido
Participio	
ido	

81

59 andar

INDICATIVO

Presente (Bello : Presente)	Pret. perf. comp. (Bello : Antepresente)	
ando	he	andado
andas	has	andado
anda	ha	andado
andamos	hemos	andado
andáis	habéis	andado
andan	han	andado

Pret. impert. (Bello : Copretérito)	Pret. pluscuamp. (Bello : Antecopretérito)	
andaba	había	andado
andabas	habías	andado
andaba	había	andado
andábamos	habíamos	andado
andabais	habíais	andado
andaban	habían	andado

Pret. perf. simple (Bello : Pretérito)	Pret. anterior (Bello : Antepretérito)	
anduve	hube	andado
anduviste	hubiste	andado
anduvo	hubo	andado
anduvimos	hubimos	andado
anduvisteis	hubisteis	andado
anduvieron	hubieron	andado

Futuro (Bello : Futuro)	Futuro perf. (Bello : Antefuturo)	
andaré	habré	andado
andarás	habrás	andado
andará	habrá	andado
andaremos	habremos	andado
andaréis	habréis	andado
andarán	habrán	andado

Condicional (Bello : Pospretérito)	Condicional perf. (Bello : Antepospretérito)	
andaría	habría	andado
andarías	habrías	andado
andaría	habría	andado
andaríamos	habríamos	andado
andaríais	habríais	andado
andarían	habrían	andado

SUBJUNTIVO

Presente (Bello : Presente)	Pret. perf. (Bello : Antepresente)	
ande	haya	andado
andes	hayas	andado
ande	haya	andado
andemos	hayamos	andado
andéis	hayáis	andado
anden	hayan	andado

Pret. imperf. (Bello : Pretérito)	Pret. pluscuamp. (Bello : Antepretérito)	
anduviera	hubiera	
o anduviese	o hubiese	andado
anduvieras	hubieras	
o anduvieses	o hubieses	andado
anduviera	hubiera	
o anduviese	o hubiese	andado
anduviéramos	hubiéramos	
o anduviésemos	o hubiésemos	andado
anduvierais	hubierais	
o anduvieseis	o hubieseis	andado
anduvieran	hubieran	
o anduviesen	o hubiesen	andado

Futuro (Bello : Futuro)	Futuro perf. (Bello : Antefuturo)	
anduviere	hubiere	andado
anduvieres	hubieres	andado
anduviere	hubiere	andado
anduviéremos	hubiéremos	andado
anduviereis	hubiereis	andado
anduvieren	hubieren	andado

IMPERATIVO

Presente	
anda	tú
ande	él
andemos	nosotros
andad	vosotros
anden	ellos

FORMAS NO PERSONALES

Infinitivo	Infinitivo compuesto
andar	haber andado
Gerundio	Gerundio compuesto
andando	habiendo andado
Participio	
andado	

60 trocar

____ INDICATIVO ____

Presente (Bello : Presente)	Pret. perf. comp. (Bello : Antepresente)	
trueco	he	trocado
truecas	has	trocado
trueca	ha	trocado
trocamos	hemos	trocado
trocáis	habéis	trocado
truecan	han	trocado

Pret. imperf. (Bello : Copretérito)	Pret. pluscuamp. (Bello : Antecopretérito)	
trocaba	había	trocado
trocabas	habías	trocado
trocaba	había	trocado
trocábamos	habíamos	trocado
trocabais	habíais	trocado
trocaban	habían	trocado

Pret. perf. simple (Bello : Pretérito)	Pret. anterior (Bello : Antepretérito)	
troqué	hube	trocado
trocaste	hubiste	trocado
trocó	hubo	trocado
trocamos	hubimos	trocado
trocasteis	hubisteis	trocado
trocaron	hubieron	trocado

Futuro (Bello : Futuro)	Futuro perf. (Bello : Antefuturo)	
trocaré	habré	trocado
trocarás	habrás	trocado
trocará	habrá	trocado
trocaremos	habremos	trocado
trocaréis	habréis	trocado
trocarán	habrán	trocado

Condicional (Bello : Pospretérito)	Condicional perf. (Bello : Antepospretérito)	
trocaría	habría	trocado
trocarías	habrías	trocado
trocaría	habría	trocado
trocaríamos	habríamos	trocado
trocaríais	habríais	trocado
trocarían	habrían	trocado

____ SUBJUNTIVO ____

Presente (Bello : Presente)	Pret. perf. (Bello : Antepresente)	
trueque	haya	trocado
trueques	hayas	trocado
trueque	haya	trocado
troquemos	hayamos	trocado
troquéis	hayáis	trocado
truequen	hayan	trocado

Pret. imperf. (Bello : Pretérito)	Pret. pluscuamp. (Bello : Antepretérito)	
trocara	hubiera	
o trocase	o hubiese	trocado
trocaras	hubieras	
o trocases	o hubieses	trocado
trocara	hubiera	
o trocase	o hubiese	trocado
trocáramos	hubiéramos	
o trocásemos	o hubiésemos	trocado
trocarais	hubierais	
o trocaseis	o hubieseis	trocado
trocaran	hubieran	
o trocasen	o hubiesen	trocado

Futuro (Bello : Futuro)	Futuro perf. (Bello : Antefuturo)	
trocare	hubiere	trocado
trocares	hubieres	trocado
trocare	hubiere	trocado
trocáremos	hubiéremos	trocado
trocareis	hubiereis	trocado
trocaren	hubieren	trocado

____ IMPERATIVO ____

Presente

trueca	tú
trueque	él
troquemos	nosotros
trocad	vosotros
truequen	ellos

____ FORMAS NO PERSONALES ____

Infinitivo trocar	Infinitivo compuesto haber trocado
Gerundio trocando	Gerundio compuesto habiendo trocado
Participio trocado	

61 colgar

─── INDICATIVO ───

Presente (Bello : Presente)	Pret. perf. comp. (Bello : Antepresente)	
cuelgo	he	colgado
cuelgas	has	colgado
cuelga	ha	colgado
colgamos	hemos	colgado
colgáis	habéis	colgado
cuelgan	han	colgado

Pret. imperf. (Bello : Copretérito)	Pret. pluscuamp. (Bello : Antecopretérito)	
colgaba	había	colgado
colgabas	habías	colgado
colgaba	había	colgado
colgábamos	habíamos	colgado
colgabais	habíais	colgado
colgaban	habían	colgado

Pret. perf. simple (Bello : Pretérito)	Pret. anterior (Bello : Antepretérito)	
colgué	hube	colgado
colgaste	hubiste	colgado
colgó	hubo	colgado
colgamos	hubimos	colgado
colgasteis	hubisteis	colgado
colgaron	hubieron	colgado

Futuro (Bello : Futuro)	Futuro perf. (Bello : Antefuturo)	
colgaré	habré	colgado
colgarás	habrás	colgado
colgará	habrá	colgado
colgaremos	habremos	colgado
colgaréis	habréis	colgado
colgarán	habrán	colgado

Condicional (Bello : Pospretérito)	Condicional perf. (Bello : Antepospretérito)	
colgaría	habría	colgado
colgarías	habrías	colgado
colgaría	habría	colgado
colgaríamos	habríamos	colgado
colgaríais	habríais	colgado
colgarían	habrían	colgado

─── SUBJUNTIVO ───

Presente (Bello : Presente)	Pret. perf. (Bello : Antepresente)	
cuelgue	haya	colgado
cuelgues	hayas	colgado
cuelgue	haya	colgado
colguemos	hayamos	colgado
colguéis	hayáis	colgado
cuelguen	hayan	colgado

Pret. imperf. (Bello : Pretérito)	Pret. pluscuamp. (Bello : Antepretérito)	
colgara	hubiera	
o colgase	o hubiese	colgado
colgaras	hubieras	
o colgases	o hubieses	colgado
colgara	hubiera	
o colgase	o hubiese	colgado
colgáramos	hubiéramos	
o colgásemos	o hubiésemos	colgado
colgarais	hubierais	
o colgaseis	o hubieseis	colgado
colgaran	hubieran	
o colgasen	o hubiesen	colgado

Futuro (Bello : Futuro)	Futuro perf. (Bello : Antefuturo)	
colgare	hubiere	colgado
colgares	hubieres	colgado
colgare	hubiere	colgado
colgáremos	hubiéremos	colgado
colgareis	hubiereis	colgado
colgaren	hubieren	colgado

─── IMPERATIVO ───

Presente

cuelga	tú
cuelgue	él
colguemos	nosotros
colgad	vosotros
cuelguen	ellos

─── FORMAS NO PERSONALES ───

Infinitivo	Infinitivo compuesto
colgar	haber colgado
Gerundio	Gerundio compuesto
colgando	habiendo colgado
Participio	
colgado	

62 agorar

Presente (Bello : Presente)	Pret. perf. comp. (Bello : Antepresente)	
agüero	he	agorado
agüeras	has	agorado
agüera	ha	agorado
agoramos	hemos	agorado
agoráis	habéis	agorado
agüeran	han	agorado

Presente (Bello : Presente)	Pret. perf. (Bello : Antepresente)	
agüere	haya	agorado
agüeres	hayas	agorado
agüere	haya	agorado
agoremos	hayamos	agorado
agoréis	hayáis	agorado
agüeren	hayan	agorado

Pret. imperf. (Bello : Copretérito)	Pret. pluscuamp. (Bello : Antecopretérito)	
agoraba	había	agorado
agorabas	habías	agorado
agoraba	había	agorado
agorábamos	habíamos	agorado
agorabais	habíais	agorado
agoraban	habían	agorado

Pret. imperf. (Bello : Pretérito)	Pret. pluscuamp. (Bello : Antepretérito)	
agorara	hubiera	
o agorase	o hubiese	agorado
agoraras	hubieras	
o agorases	o hubieses	agorado
agorara	hubiera	
o agorase	o hubiese	agorado
agoráramos	hubiéramos	
o agorásemos	o hubiésemos	agorado
agorarais	hubierais	
o agoraseis	o hubieseis	agorado
agoraran	hubieran	
o agorasen	o hubiesen	agorado

Pret. perf. simple (Bello : Pretérito)	Pret. anterior (Bello : Antepretérito)	
agoré	hube	agorado
agoraste	hubiste	agorado
agoró	hubo	agorado
agoramos	hubimos	agorado
agorasteis	hubisteis	agorado
agoraron	hubieron	agorado

Futuro (Bello : Futuro)	Futuro perf. (Bello : Antefuturo)	
agorare	hubiere	agorado
agorares	hubieres	agorado
agorare	hubiere	agorado
agoráremos	hubiéremos	agorado
agorareis	hubiereis	agorado
agoraren	hubieren	agorado

Futuro (Bello : Futuro)	Futuro perf. (Bello : Antefuturo)	
agoraré	habré	agorado
agorarás	habrás	agorado
agorará	habrá	agorado
agoraremos	habremos	agorado
agoraréis	habréis	agorado
agorarán	habrán	agorado

Presente

agüera	tú
agüere	él
agoremos	nosotros
agorad	vosotros
agüeren	ellos

Condicional (Bello : Pospretérito)	Condicional perf. (Bello : Antepospretérito)	
agoraría	habría	agorado
agorarías	habrías	agorado
agoraría	habría	agorado
agoraríamos	habríamos	agorado
agoraríais	habríais	agorado
agorarían	habrían	agorado

Infinitivo agorar	Infinitivo compuesto haber agorado
Gerundio agorando	Gerundio compuesto habiendo agorado
Participio agorado	

85

63 negar

___ INDICATIVO ___

Presente (Bello : Presente)	Pret. perf. comp. (Bello : Antepresente)	
niego	he	negado
niegas	has	negado
niega	ha	negado
negamos	hemos	negado
negáis	habéis	negado
niegan	han	negado

Pret. imperf. (Bello : Copretérito)	Pret. pluscuamp. (Bello : Antecopretérito)	
negaba	había	negado
negabas	habías	negado
negaba	había	negado
negábamos	habíamos	negado
negabais	habíais	negado
negaban	habían	negado

Pret. perf. simple (Bello : Pretérito)	Pret. anterior (Bello : Antepretérito)	
negué	hube	negado
negaste	hubiste	negado
negó	hubo	negado
negamos	hubimos	negado
negasteis	hubisteis	negado
negaron	hubieron	negado

Futuro (Bello : Futuro)	Futuro perf. (Bello : Antefuturo)	
negaré	habré	negado
negarás	habrás	negado
negará	habrá	negado
negaremos	habremos	negado
negaréis	habréis	negado
negarán	habrán	negado

Condicional (Bello : Pospretérito)	Condicional perf. (Bello : Antepospretérito)	
negaría	habría	negado
negarías	habrías	negado
negaría	habría	negado
negaríamos	habríamos	negado
negaríais	habríais	negado
negarían	habrían	negado

___ SUBJUNTIVO ___

Presente (Bello : Presente)	Pret. perf. (Bello : Antepresente)	
niegue	haya	negado
niegues	hayas	negado
niegue	haya	negado
neguemos	hayamos	negado
neguéis	hayáis	negado
nieguen	hayan	negado

Pret. imperf. (Bello : Pretérito)	Pret. pluscuamp. (Bello : Antepretérito)	
negara	hubiera	
o negase	o hubiese	negado
negaras	hubieras	
o negases	o hubieses	negado
negara	hubiera	
o negase	o hubiese	negado
negáramos	hubiéramos	
o negásemos	o hubiésemos	negado
negarais	hubierais	
o negaseis	o hubieseis	negado
negaran	hubieran	
o negasen	o hubiesen	negado

Futuro (Bello : Futuro)	Futuro perf. (Bello : Antefuturo)	
negare	hubiere	negado
negares	hubieres	negado
negare	hubiere	negado
negáremos	hubiéremos	negado
negareis	hubiereis	negado
negaren	hubieren	negado

___ IMPERATIVO ___

Presente

niega	tú
niegue	él
neguemos	nosotros
negad	vosotros
nieguen	ellos

___ FORMAS NO PERSONALES ___

Infinitivo	Infinitivo compuesto
negar	haber negado
Gerundio	Gerundio compuesto
negando	habiendo negado
Participio	
negado	

64 comenzar

Presente (Bello : Presente)	Pret. perf. comp. (Bello : Antepresente)	
comienzo	he	comenzado
comienzas	has	comenzado
comienza	ha	comenzado
comenzamos	hemos	comenzado
comenzáis	habéis	comenzado
comienzan	han	comenzado

Pret. imperf. (Bello : Copretérito)	Pret. pluscuamp. (Bello : Antecopretérito)	
comenzaba	había	comenzado
comenzabas	habías	comenzado
comenzaba	había	comenzado
comenzábamos	habíamos	comenzado
comenzabais	habíais	comenzado
comenzaban	habían	comenzado

Pret. perf. simple (Bello : Pretérito)	Pret. anterior (Bello : Antepretérito)	
comencé	hube	comenzado
comenzaste	hubiste	comenzado
comenzó	hubo	comenzado
comenzamos	hubimos	comenzado
comenzasteis	hubisteis	comenzado
comenzaron	hubieron	comenzado

Futuro (Bello : Futuro)	Futuro perf. (Bello : Antefuturo)	
comenzaré	habré	comenzado
comenzarás	habrás	comenzado
comenzará	habrá	comenzado
comenzaremos	habremos	comenzado
comenzaréis	habréis	comenzado
comenzarán	habrán	comenzado

Condicional (Bello : Pospretérito)	Condicional perf. (Bello : Antepospretérito)	
comenzaría	habría	comenzado
comenzarías	habrías	comenzado
comenzaría	habría	comenzado
comenzaríamos	habríamos	comenzado
comenzaríais	habríais	comenzado
comenzarían	habrían	comenzado

Presente (Bello : Presente)	Pret. perf. (Bello : Antepresente)	
comience	haya	comenzado
comiences	hayas	comenzado
comience	haya	comenzado
comencemos	hayamos	comenzado
comencéis	hayáis	comenzado
comiencen	hayan	comenzado

Pret. imperf. (Bello : Pretérito)	Pret. pluscuamp. (Bello : Antepretérito)	
comenzara	hubiera	
o comenzase	o hubiese	comenzado
comenzaras	hubieras	
o comenzases	o hubieses	comenzado
comenzara	hubiera	
o comenzase	o hubiese	comenzado
comenzáramos	hubiéramos	
o comenzásemos	o hubiésemos	comenzado
comenzarais	hubierais	
o comenzaseis	o hubieseis	comenzado
comenzaran	hubieran	
o comenzasen	o hubiesen	comenzado

Futuro (Bello : Futuro)	Futuro perf. (Bello : Antefuturo)	
comenzare	hubiere	comenzado
comenzares	hubieres	comenzado
comenzare	hubiere	comenzado
comenzáremos	hubiéremos	comenzado
comenzareis	hubiereis	comenzado
comenzaren	hubieren	comenzado

IMPERATIVO

Presente

comienza	tú
comience	él
comencemos	nosotros
comenzad	vosotros
comiencen	ellos

FORMAS NO PERSONALES

Infinitivo	Infinitivo compuesto
comenzar	haber comenzado
Gerundio	Gerundio compuesto
comenzando	habiendo comenzado
Participio	
comenzado	

65 avergonzar

INDICATIVO

Presente
(Bello : Presente)

avergüenzo
avergüenzas
avergüenza
avergonzamos
avergonzáis
avergüenzan

Pret. perf. comp.
(Bello : Antepresente)

he avergonzado
has avergonzado
ha avergonzado
hemos avergonzado
habéis avergonzado
han avergonzado

Pret. imperf
(Bello : Copretérito)

avergonzaba
avergonzabas
avergonzaba
avergonzábamos
avergonzabais
avergonzaban

Pret. pluscuamp.
(Bello : Antecopretérito)

había avergonzado
habías avergonzado
había avergonzado
habíamos avergonzado
habíais avergonzado
habían avergonzado

Pret. perf. simple
(Bello : Pretérito)

avergoncé
avergonzaste
avergonzó
avergonzamos
avergonzasteis
avergonzaron

Pret. anterior
(Bello : Antepretérito)

hube avergonzado
hubiste avergonzado
hubo avergonzado
hubimos avergonzado
hubisteis avergonzado
hubieron avergonzado

Futuro
(Bello : Futuro)

avergonzaré
avergonzarás
avergonzará
avergonzaremos
avergonzaréis
avergonzarán

Futuro perf.
(Bello : Antefuturo)

habré avergonzado
habrás avergonzado
habrá avergonzado
habremos avergonzado
habréis avergonzado
habrán avergonzado

Condicional
(Bello : Pospretérito)

avergonzaría
avergonzarías
avergonzaría
avergonzaríamos
avergonzaríais
avergonzarían

Condicional perf.
(Bello : Antepospretérito)

habría avergonzado
habrías avergonzado
habría avergonzado
habríamos avergonzado
habríais avergonzado
habrían avergonzado

SUBJUNTIVO

Presente
(Bello : Presente)

avergüence
avergüences
avergüence
avergoncemos
avergoncéis
avergüencen

Pret. perf.
(Bello : Antepresente)

haya avergonzado
hayas avergonzado
haya avergonzado
hayamos avergonzado
hayáis avergonzado
hayan avergonzado

Pret. imperf.
(Bello : Pretérito)

avergonzara
o avergonzase
avergonzaras
o avergonzases
avergonzara
o avergonzase
avergonzáramos
o avergonzásemos
avergonzarais
o avergonzaseis
avergonzaran
o avergonzasen

Pret. pluscuamp.
(Bello : Antepretérito)

hubiera
o hubiese avergonzado
hubieras
o hubieses avergonzado
hubiera
o hubiese avergonzado
hubiéramos
o hubiésemos avergonzado
hubierais
o hubieseis avergonzado
hubieran
o hubiesen avergonzado

Futuro
(Bello : Futuro)

avergonzare
avergonzares
avergonzare
avergonzáremos
avergonzareis
avergonzaren

Futuro perf.
(Bello : Antefuturo)

hubiere avergonzado
hubieres avergonzado
hubiere avergonzado
hubiéremos avergonzado
hubiereis avergonzado
hubieren avergonzado

IMPERATIVO

Presente

avergüenza tú
avergüence él
avergoncemos nosotros
avergonzad vosotros
avergüencen ellos

FORMAS NO PERSONALES

Infinitivo
avergonzar

Infinitivo compuesto
haber avergonzado

Gerundio
avergonzando

Gerundio compuesto
habiendo avergonzado

Participio
avergonzado

66 satisfacer

—— INDICATIVO ——

Presente (Bello : Presente)	Pret. perf. comp. (Bello : Antepresente)	
satisfago	he	satisfecho
satisfaces	has	satisfecho
satisface	ha	satisfecho
satisfacemos	hemos	satisfecho
satisfacéis	habéis	satisfecho
satisfacen	han	satisfecho

Pret. imperf. (Bello : Copretérito)	Pret. pluscuamp. (Bello : Antecopretérito)	
satisfacía	había	satisfecho
satisfacías	habías	satisfecho
satisfacía	había	satisfecho
satisfacíamos	habíamos	satisfecho
satisfacíais	habíais	satisfecho
satisfacían	habían	satisfecho

Pret. perf. simple (Bello : Pretérito)	Pret. anterior (Bello : Antepretérito)	
satisfice	hube	satisfecho
satisficiste	hubiste	satisfecho
satisfizo	hubo	satisfecho
satisficimos	hubimos	satisfecho
satisficisteis	hubisteis	satisfecho
satisficieron	hubieron	satisfecho

Futuro (Bello : Futuro)	Futuro perf. (Bello : Antefuturo)	
satisfaré	habré	satisfecho
satisfarás	habrás	satisfecho
satisfará	habrá	satisfecho
satisfaremos	habremos	satisfecho
satisfaréis	habréis	satisfecho
satisfarán	habrán	satisfecho

Condicional (Bello : Pospretérito)	Condicional perf. (Bello : Antepospretérito)	
satisfaría	habría	satisfecho
satisfarías	habrías	satisfecho
satisfaría	habría	satisfecho
satisfaríamos	habríamos	satisfecho
satisfaríais	habríais	satisfecho
satisfarían	habrían	satisfecho

—— SUBJUNTIVO ——

Presente (Bello : Presente)	Pret. perf. (Bello : Antepresente)	
satisfaga	haya	satisfecho
satisfagas	hayas	satisfecho
satisfaga	haya	satisfecho
satisfagamos	hayamos	satisfecho
satisfagáis	hayáis	satisfecho
satisfagan	hayan	satisfecho

Pret. imperf. (Bello : Pretérito)	Pret. pluscuamp. (Bello : Antepretérito)	
satisficiera	hubiera	
o satisficiese	o hubiese	satisfecho
satisficieras	hubieras	
o satisficieses	o hubieses	satisfecho
satisficiera	hubiera	
o satisficiese	o hubiese	satisfecho
satisficiéramos	hubiéramos	
o satisficiésemos	o hubiésemos	satisfecho
satisficierais	hubierais	
o satisficieseis	o hubieseis	satisfecho
satisficieran	hubieran	
o satisficiesen	o hubiesen	satisfecho

Futuro (Bello : Futuro)	Futuro perf. (Bello : Antefuturo)	
satisficiere	hubiere	satisfecho
satisficieres	hubieres	satisfecho
satisficiere	hubiere	satisfecho
satisficiéremos	hubiéremos	satisfecho
satisficiereis	hubiereis	satisfecho
satisficieren	hubieren	satisfecho

—— IMPERATIVO ——

Presente

satisfaz o satisface	tú
satisfaga	él
satisfagamos	nosotros
satisfaced	vosotros
satisfagan	ellos

—— FORMAS NO PERSONALES ——

Infinitivo	Infinitivo compuesto
satisfacer	haber satisfecho
Gerundio	Gerundio compuesto
satisfaciendo	habiendo satisfecho
Participio	
satisfecho	

67 regir

INDICATIVO

Presente (Bello : Presente)	Pret. perf. comp. (Bello : Antepresente)	
rijo	he	regido
riges	has	regido
rige	ha	regido
regimos	hemos	regido
regís	habéis	regido
rigen	han	regido

Pret. imperf. (Bello : Copretérito)	Pret. pluscuamp. (Bello : Antecopretérito)	
regía	había	regido
regías	habías	regido
regía	había	regido
regíamos	habíamos	regido
regíais	habíais	regido
regían	habían	regido

Pret. perf. simple (Bello : Pretérito)	Pret. anterior (Bello : Antepretérito)	
regí	hube	regido
registe	hubiste	regido
rigió	hubo	regido
regimos	hubimos	regido
registeis	hubisteis	regido
rigieron	hubieron	regido

Futuro (Bello : Futuro)	Futuro perf. (Bello : Antefuturo)	
regiré	habré	regido
regirás	habrás	regido
regirá	habrá	regido
regiremos	habremos	regido
regiréis	habréis	regido
regirán	habrán	regido

Condicional (Bello : Pospretérito)	Condicional perf. (Bello : Antepospretérito)	
regiría	habría	regido
regirías	habrías	regido
regiría	habría	regido
regiríamos	habríamos	regido
regiríais	habríais	regido
regirían	habrían	regido

SUBJUNTIVO

Presente (Bello : Presente)	Pret. perf. (Bello : Antepresente)	
rija	haya	regido
rijas	hayas	regido
rija	haya	regido
rijamos	hayamos	regido
rijáis	hayáis	regido
rijan	hayan	regido

Pret. imperf. (Bello : Pretérito)	Pret. pluscuamp. (Bello : Antepretérito)	
rigiera	hubiera	
o rigiese	o hubiese	regido
rigieras	hubieras	
o rigieses	o hubieses	regido
rigiera	hubiera	
o rigiese	o hubiese	regido
rigiéramos	hubiéramos	
o rigiésemos	o hubiésemos	regido
rigierais	hubierais	
o rigieseis	o hubieseis	regido
rigieran	hubieran	
o rigiesen	o hubiesen	regido

Futuro (Bello : Futuro)	Futuro perf. (Bello : Antefuturo)	
rigiere	hubiere	regido
rigieres	hubieres	regido
rigiere	hubiere	regido
rigiéremos	hubiéremos	regido
rigiereis	hubiereis	regido
rigieren	hubieren	regido

IMPERATIVO

Presente	
rige	tú
rija	él
rijamos	nosotros
regid	vosotros
rijan	ellos

FORMAS NO PERSONALES

Infinitivo	Infinitivo compuesto
regir	haber regido
Gerundio	Gerundio compuesto
rigiendo	habiendo regido
Participio	
regido	

68 seguir

___ INDICATIVO ___

Presente
(Bello : Presente)

sigo
sigues
sigue
seguimos
seguís
siguen

Pret. perf. comp.
(Bello : Antepresente)

he   seguido
has   seguido
ha   seguido
hemos   seguido
habéis   seguido
han   seguido

Pret. imperf.
(Bello : Copretérito)

seguía
seguías
seguía
seguíamos
seguíais
seguían

Pret. pluscuamp.
(Bello : Antecopretérito)

había   seguido
habías   seguido
había   seguido
habíamos   seguido
habíais   seguido
habían   seguido

Pret. perf. simple
(Bello : Pretérito)

seguí
seguiste
siguió
seguimos
seguisteis
siguieron

Pret. anterior
(Bello : Antepretérito)

hube   seguido
hubiste   seguido
hubo   seguido
hubimos   seguido
hubisteis   seguido
hubieron   seguido

Futuro
(Bello : Futuro)

seguiré
seguirás
seguirá
seguiremos
seguiréis
seguirán

Futuro perf.
(Bello : Antefuturo)

habré   seguido
habrás   seguido
habrá   seguido
habremos   seguido
habréis   seguido
habrán   seguido

Condicional
(Bello : Pospretérito)

seguiría
seguirías
seguiría
seguiríamos
seguiríais
seguirían

Condicional perf.
(Bello : Antepospretérito)

habría   seguido
habrías   seguido
habría   seguido
habríamos   seguido
habríais   seguido
habrían   seguido

___ SUBJUNTIVO ___

Presente
(Bello : Presente)

siga
sigas
siga
sigamos
sigáis
sigan

Pret. perf.
(Bello : Antepresente)

haya   seguido
hayas   seguido
haya   seguido
hayamos   seguido
hayáis   seguido
hayan   seguido

Pret. imperf.
(Bello : Pretérito)

siguiera
o siguiese
siguieras
o siguieses
siguiera
o siguiese
siguiéramos
o siguiésemos
siguierais
o siguieseis
siguieran
o siguiesen

Pret. pluscuamp.
(Bello : Antepretérito)

hubiera
o hubiese   seguido
hubieras
o hubieses   seguido
hubiera
o hubiese   seguido
hubiéramos
o hubiésemos   seguido
hubierais
o hubieseis   seguido
hubieran
o hubiesen   seguido

Futuro
(Bello : Futuro)

siguiere
siguieres
siguiere
siguiéremos
siguiereis
siguieren

Futuro perf.
(Bello : Antefuturo)

hubiere   seguido
hubieres   seguido
hubiere   seguido
hubiéremos seguido
hubiereis   seguido
hubieren   seguido

___ IMPERATIVO ___

Presente

sigue   tú
siga   él
sigamos   nosotros
seguid   vosotros
sigan   ellos

___ FORMAS NO PERSONALES ___

Infinitivo
seguir

Infinitivo compuesto
haber seguido

Gerundio
siguiendo

Gerundio compuesto
habiendo seguido

Participio
seguido

69 embaír

—— INDICATIVO ——

Presente (Bello : Presente)	Pret. perf. comp. (Bello : Antepresente)	
(no existe)	he	embaído
(no existe)	has	embaído
(no existe)	ha	embaído
embaímos	hemos	embaído
embaís	habéis	embaído
(no existe)	han	embaído

Pret. imperf. (Bello : Copretérito)	Pret. pluscuamp. (Bello : Antecopretérito)	
embaía	había	embaído
embaías	habías	embaído
embaía	había	embaído
embaíamos	habíamos	embaído
embaíais	habíais	embaído
embaían	habían	embaído

Pret. perf. simple (Bello : Pretérito)	Pret. anterior (Bello : Antepretérito)	
embaí	hube	embaído
embaíste	hubiste	embaído
embayó	hubo	embaído
embaímos	hubimos	embaído
embaísteis	hubisteis	embaído
embayeron	hubieron	embaído

Futuro (Bello : Futuro)	Futuro perf. (Bello : Antefuturo)	
embairé	habré	embaído
embairás	habrás	embaído
embairá	habrá	embaído
embairemos	habremos	embaído
embairéis	habréis	embaído
embairán	habrán	embaído

Condicional (Bello : Pospretérito)	Condicional perf. (Bello : Antepospretérito)	
embairía	habría	embaído
embairías	habrías	embaído
embairía	habría	embaído
embairíamos	habríamos	embaído
embairíais	habríais	embaído
embairían	habrían	embaído

—— SUBJUNTIVO ——

Presente (Bello : Presente)	Pret. perf. (Bello : Antepresente)	
(no existe)	haya	embaído
—	hayas	embaído
—	haya	embaído
—	hayamos	embaído
—	hayáis	embaído
—	hayan	embaído

Pret. imperf. (Bello : Pretérito)	Pret. pluscuamp. (Bello : Antepretérito)	
embayera	hubiera	
o embayese	o hubiese	embaído
embayeras	hubieras	
o embayeses	o hubieses	embaído
embayera	hubiera	
o embayese	o hubiese	embaído
embayéramos	hubiéramos	
o embayésemos	o hubiésemos	embaído
embayerais	hubierais	
o embayeseis	o hubieseis	embaído
embayeran	hubieran	
o embayesen	o hubiesen	embaído

Futuro (Bello : Futuro)	Futuro perf. (Bello : Antefuturo)	
embayere	hubiere	embaído
embayeres	hubieres	embaído
embayere	hubiere	embaído
embayéremos	hubiéremos	embaído
embayereis	hubiereis	embaído
embayeren	hubieren	embaído

—— IMPERATIVO ——

Presente

embaíd   vosotros

(las demás personas no existen)

—— FORMAS NO PERSONALES ——

Infinitivo	Infinitivo compuesto
embaír	haber embaído
Gerundio	Gerundio compuesto
embayendo	habiendo embaído
Participio	
embaído	

92

70 abolir

―― INDICATIVO ――

Presente (Bello : Presente)	Pret. perf. comp. (Bello : Antepresente)	
(no existe)	he	abolido
(no existe)	has	abolido
(no existe)	ha	abolido
abolimos	hemos	abolido
abolís	habéis	abolido
(no existe)	han	abolido

Pret. imperf. (Bello : Copretérito)	Pret. pluscuamp. (Bello : Antecopretérito)	
abolía	había	abolido
abolías	habías	abolido
abolía	había	abolido
abolíamos	habíamos	abolido
abolíais	habíais	abolido
abolían	habían	abolido

Pret. perf. simple (Bello : Pretérito)	Pret. anterior (Bello : Antepretérito)	
abolí	hube	abolido
aboliste	hubiste	abolido
abolió	hubo	abolido
abolimos	hubimos	abolido
abolisteis	hubisteis	abolido
abolieron	hubieron	abolido

Futuro (Bello : Futuro)	Futuro perf. (Bello : Antefuturo)	
aboliré	habré	abolido
abolirás	habrás	abolido
abolirá	habrá	abolido
aboliremos	habremos	abolido
aboliréis	habréis	abolido
abolirán	habrán	abolido

Condicional (Bello : Pospretérito)	Condicional perf. (Bello : Antepospretérito)	
aboliría	habría	abolido
abolirías	habrías	abolido
aboliría	habría	abolido
aboliríamos	habríamos	abolido
aboliríais	habríais	abolido
abolirían	habrían	abolido

―― SUBJUNTIVO ――

Presente (Bello : Presente)	Pret. perf. (Bello : Antepresente)	
(no existe)	haya	abolido
—	hayas	abolido
—	haya	abolido
—	hayamos	abolido
—	hayáis	abolido
—	hayan	abolido

Pret. imperf. (Bello : Pretérito)	Pret. pluscuamp. (Bello : Antepretérito)	
aboliera	hubiera	
o aboliese	o hubiese	abolido
abolieras	hubieras	
o abolieses	o hubieses	abolido
aboliera	hubiera	
o aboliese	o hubiese	abolido
aboliéramos	hubiéramos	
o aboliésemos	o hubiésemos	abolido
abolierais	hubier^is	
o abolieseis	o hubieseis	abolido
abolieran	hubieran	
o aboliesen	o hubiesen	abolido

Futuro (Bello : Futuro)	Futuro perf. (Bello : Antefuturo)	
aboliere	hubiere	abolido
abolieres	hubieres	abolido
aboliere	hubiere	abolido
aboliéremos	hubiéremos	abolido
aboliereis	hubiereis	abolido
abolieren	hubieren	abolido

―― IMPERATIVO ――

Presente

abolid   vosotros

(las demás personas no existen)

―― FORMAS NO PERSONALES ――

Infinitivo	Infinitivo compuesto
abolir	haber abolido
Gerundio	Gerundio compuesto
aboliendo	habiendo abolido
Participio	
abolido	

71 sacar

INDICATIVO

Presente
(Bello : Presente)

saco
sacas
saca
sacamos
sacáis
sacan

Pret. perf. comp.
(Bello : Antepresente)

he sacado
has sacado
ha sacado
hemos sacado
habéis sacado
han sacado

Pret. imperf.
(Bello : Copretérito)

sacaba
sacabas
sacaba
sacábamos
sacabais
sacaban

Pret. pluscuamp.
(Bello : Antecopretérito)

había sacado
habías sacado
había sacado
habíamos sacado
habíais sacado
habían sacado

Pret. perf. simple
(Bello : Pretérito)

saqué
sacaste
sacó
sacamos
sacasteis
sacaron

Pret. anterior
(Bello : Antepretérito)

hube sacado
hubiste sacado
hubo sacado
hubimos sacado
hubisteis sacado
hubieron sacado

Futuro
(Bello : Futuro)

sacaré
sacarás
sacará
sacaremos
sacaréis
sacarán

Futuro perf.
(Bello : Antefuturo)

habré sacado
habrás sacado
habrá sacado
habremos sacado
habréis sacado
habrán sacado

Condicional
(Bello : Pospretérito)

sacaría
sacarías
sacaría
sacaríamos
sacaríais
sacarían

Condicional perf.
(Bello : Antepospretérito)

habría sacado
habrías sacado
habría sacado
habríamos sacado
habríais sacado
habrían sacado

SUBJUNTIVO

Presente
(Bello : Presente)

saque
saques
saque
saquemos
saquéis
saquen

Pret. perf.
(Bello : Antepresente)

haya sacado
hayas sacado
haya sacado
hayamos sacado
hayáis sacado
hayan sacado

Pret. imperf.
(Bello : Pretérito)

sacara
o sacase
sacaras
o sacases
sacara
o sacase
sacáramos
o sacásemos
sacarais
o sacaseis
sacaran
o sacasen

Pret. pluscuamp.
(Bello : Antepretérito)

hubiera
o hubiese sacado
hubieras
o hubieses sacado
hubiera
o hubiese sacado
hubiéramos
o hubiésemos sacado
hubierais
o hubieseis sacado
hubieran
o hubiesen sacado

Futuro
(Bello : Futuro)

sacare
sacares
sacare
sacáremos
sacareis
sacaren

Futuro perf.
(Bello : Antefuturo)

hubiere sacado
hubieres sacado
hubiere sacado
hubiéremos sacado
hubiereis sacado
hubieren sacado

IMPERATIVO

Presente

saca   tú
saque   él
saquemos   nosotros
sacad   vosotros
saquen   ellos

FORMAS NO PERSONALES

Infinitivo
sacar

Infinitivo compuesto
haber sacado

Gerundio
sacando

Gerundio compuesto
habiendo sacado

Participio
sacado

94

72 pagar

____ INDICATIVO ____

Presente (Bello : Presente)	Pret. perf. comp. (Bello : Antepresente)	
pago	he	pagado
pagas	has	pagado
paga	ha	pagado
pagamos	hemos	pagado
pagáis	habéis	pagado
pagan	han	pagado

Pret. imperf. (Bello : Copretérito)	Pret. pluscuamp. (Bello : Antecopretérito)	
pagaba	había	pagado
pagabas	habías	pagado
pagaba	había	pagado
pagábamos	habíamos	pagado
pagabais	habíais	pagado
pagaban	habían	pagado

Pret. perf. simple (Bello : Pretérito)	Pret. anterior (Bello : Antepretérito)	
pagué	hube	pagado
pagaste	hubiste	pagado
pagó	hubo	pagado
pagamos	hubimos	pagado
pagasteis	hubisteis	pagado
pagaron	hubieron	pagado

Futuro (Bello : Futuro)	Futuro perf. (Bello : Antefuturo)	
pagaré	habré	pagado
pagarás	habrás	pagado
pagará	habrá	pagado
pagaremos	habremos	pagado
pagaréis	habréis	pagado
pagarán	habrán	pagado

Condicional (Bello : Pospretérito)	Condicional perf. (Bello : Antepospretérito)	
pagaría	habría	pagado
pagarías	habrías	pagado
pagaría	habría	pagado
pagaríamos	habríamos	pagado
pagaríais	habríais	pagado
pagarían	habrían	pagado

____ SUBJUNTIVO ____

Presente (Bello : Presente)	Pret. perf. (Bello : Antepresente)	
pague	haya	pagado
pagues	hayas	pagado
pague	haya	pagado
paguemos	hayamos	pagado
paguéis	hayáis	pagado
paguen	hayan	pagado

Pret. imperf. (Bello : Pretérito)	Pret. pluscuamp. (Bello : Antepretérito)	
pagara	hubiera	
o pagase	o hubiese	pagado
pagaras	hubieras	
o pagases	o hubieses	pagado
pagara	hubiera	
o pagase	o hubiese	pagado
pagáramos	hubiéramos	
o pagásemos	o hubiésemos	pagado
pagarais	hubierais	
o pagaseis	o hubieseis	pagado
pagaran	hubieran	
o pagasen	o hubiesen	pagado

Futuro (Bello : Futuro)	Futuro perf. (Bello : Antefuturo)	
pagare	hubiere	pagado
pagares	hubieres	pagado
pagare	hubiere	pagado
pagáremos	hubiéremos	pagado
pagareis	hubiereis	pagado
pagaren	hubieren	pagado

____ IMPERATIVO ____

Presente

paga	tú
pague	él
paguemos	nosotros
pagad	vosotros
paguen	ellos

____ FORMAS NO PERSONALES ____

Infinitivo	Infinitivo compuesto
pagar	haber pagado

Gerundio	Gerundio compuesto
pagando	habiendo pagado

Participio	
pagado	

73 cazar

INDICATIVO

Presente (Bello : Presente)	Pret. perf. comp. (Bello : Antepresente)	
cazo	he	cazado
cazas	has	cazado
caza	ha	cazado
cazamos	hemos	cazado
cazáis	habéis	cazado
cazan	han	cazado

Pret. imperf. (Bello : Copretérito)	Pret. pluscuamp. (Bello : Antecopretérito)	
cazaba	había	cazado
cazabas	habías	cazado
cazaba	había	cazado
cazábamos	habíamos	cazado
cazabais	habíais	cazado
cazaban	habían	cazado

Pret. perf. simple (Bello : Pretérito)	Pret. anterior (Bello : Antepretérito)	
cacé	hube	cazado
cazaste	hubiste	cazado
cazó	hubo	cazado
cazamos	hubimos	cazado
cazasteis	hubisteis	cazado
cazaron	hubieron	cazado

Futuro (Bello : Futuro)	Futuro perf. (Bello : Antefuturo)	
cazaré	habré	cazado
cazarás	habrás	cazado
cazará	habrá	cazado
cazaremos	habremos	cazado
cazaréis	habréis	cazado
cazarán	habrán	cazado

Condicional (Bello : Pospretérito)	Condicional perf. (Bello : Antepospretérito)	
cazaría	habría	cazado
cazarías	habrías	cazado
cazaría	habría	cazado
cazaríamos	habríamos	cazado
cazaríais	habríais	cazado
cazarían	habrían	cazado

SUBJUNTIVO

Presente (Bello : Presente)	Pret. perf. (Bello : Antepresente)	
cace	haya	cazado
caces	hayas	cazado
cace	haya	cazado
cacemos	hayamos	cazado
cacéis	hayáis	cazado
cacen	hayan	cazado

Pret. imperf. (Bello : Pretérito)	Pret. pluscuamp. (Bello : Antepretérito)	
cazara	hubiera	
o cazase	o hubiese	cazado
cazaras	hubieras	
o cazases	o hubieses	cazado
cazara	hubiera	
o cazase	o hubiese	cazado
cazáramos	hubiéramos	
o cazásemos	o hubiésemos	cazado
cazarais	hubierais	
o cazaseis	o hubieseis	cazado
cazaran	hubieran	
o cazasen	o hubiesen	cazado

Futuro (Bello : Futuro)	Futuro perf. (Bello : Antefuturo)	
cazare	hubiere	cazado
cazares	hubieres	cazado
cazare	hubiere	cazado
cazáremos	hubiéremos	cazado
cazareis	hubiereis	cazado
cazaren	hubieren	cazado

IMPERATIVO

Presente	
caza	tú
cace	él
cacemos	nosotros
cazad	vosotros
cacen	ellos

FORMAS NO PERSONALES

Infinitivo	Infinitivo compuesto
cazar	haber cazado
Gerundio	Gerundio compuesto
cazando	habiendo cazado
Participio	
cazado	

74 forzar

___ INDICATIVO ___

Presente (Bello : Presente)	Pret. perf. comp. (Bello : Antepresente)	
fuerzo	he	forzado
fuerzas	has	forzado
fuerza	ha	forzado
forzamos	hemos	forzado
forzáis	habéis	forzado
fuerzan	han	forzado

Pret. imperf. (Bello : Copretérito)	Pret. pluscuamp. (Bello : Antecopretérito)	
forzaba	había	forzado
forzabas	habías	forzado
forzaba	había	forzado
forzábamos	habíamos	forzado
forzabais	habíais	forzado
forzaban	habían	forzado

Pret. perf. simple (Bello : Pretérito)	Pret. anterior (Bello : Antepretérito)	
forcé	hube	forzado
forzaste	hubiste	forzado
forzó	hubo	forzado
forzamos	hubimos	forzado
forzasteis	hubisteis	forzado
forzaron	hubieron	forzado

Futuro (Bello : Futuro)	Futuro perf. (Bello : Antefuturo)	
forzaré	habré	forzado
forzarás	habrás	forzado
forzará	habrá	forzado
forzaremos	habremos	forzado
forzaréis	habréis	forzado
forzarán	habrán	forzado

Condicional (Bello : Pospretérito)	Condicional perf. (Bello : Antepospretérito)	
forzaría	habría	forzado
forzarías	habrías	forzado
forzaría	habría	forzado
forzaríamos	habríamos	forzado
forzaríais	habríais	forzado
forzarían	habrían	forzado

___ SUBJUNTIVO ___

Presente (Bello : Presente)	Pret. perf. (Bello : Antepresente)	
fuerce	haya	forzado
fuerces	hayas	forzado
fuerce	haya	forzado
forcemos	hayamos	forzado
forcéis	hayáis	forzado
fuercen	hayan	forzado

Pret. imperf. (Bello : Pretérito)	Pret. pluscuamp. (Bello : Antepretérito)	
forzara	hubiera	
o forzase	o hubiese	forzado
forzaras	hubieras	
o forzases	o hubieses	forzado
forzara	hubiera	
o forzase	o hubiese	forzado
forzáramos	hubiéramos	
o forzásemos	o hubiésemos	forzado
forzarais	hubierais	
o forzaseis	o hubieseis	forzado
forzaran	hubieran	
o forzasen	o hubiesen	forzado

Futuro (Bello : Futuro)	Futuro perf. (Bello : Antefuturo)	
forzare	hubiere	forzado
forzares	hubieres	forzado
forzare	hubiere	forzado
forzáremos	hubiéremos	forzado
forzareis	hubiereis	forzado
forzaren	hubieren	forzado

___ IMPERATIVO ___

Presente

fuerza	tú
fuerce	él
forcemos	nosotros
forzad	vosotros
fuercen	ellos

___ FORMAS NO PERSONALES ___

Infinitivo	Infinitivo compuesto
forzar	haber forzado
Gerundio	Gerundio compuesto
forzando	habiendo forzado
Participio	
forzado	

75 guiar

Presente (Bello : Presente)		Pret. perf. comp. (Bello : Antepresente)	
guío		he	guiado
guías		has	guiado
guía		ha	guiado
guiamos		hemos	guiado
guiáis		habéis	guiado
guían		han	guiado

Pret. imperf. (Bello : Copretérito)		Pret. pluscuamp. (Bello : Antecopretérito)	
guiaba		había	guiado
guiabas		habías	guiado
guiaba		había	guiado
guiábamos		habíamos	guiado
guiabais		habíais	guiado
guiaban		habían	guiado

Pret. perf. simple (Bello : Pretérito)		Pret. anterior (Bello : Antepretérito)	
guié		hube	guiado
guiaste		hubiste	guiado
guió		hubo	guiado
guiamos		hubimos	guiado
guiasteis		hubisteis	guiado
guiaron		hubieron	guiado

Futuro (Bello : Futuro)		Futuro perf. (Bello : Antefuturo)	
guiaré		habré	guiado
guiarás		habrás	guiado
guiará		habrá	guiado
guiaremos		habremos	guiado
guiaréis		habréis	guiado
guiarán		habrán	guiado

Condicional (Bello : Pospretérito)		Condicional perf. (Bello : Antepospretérito)	
guiaría		habría	guiado
guiarías		habrías	guiado
guiaría		habría	guiado
guiaríamos		habríamos	guiado
guiaríais		habríais	guiado
guiarían		habrían	guiado

Presente (Bello : Presente)		Pret. perf. (Bello : Antepresente)	
guíe		haya	guiado
guíes		hayas	guiado
guíe		haya	guiado
guiemos		hayamos	guiado
guiéis		hayáis	guiado
guíen		hayan	guiado

Pret. imperf. (Bello : Pretérito)		Pret. pluscuamp. (Bello : Antepretérito)	
guiara		hubiera	
o guiase		o hubiese	guiado
guiaras		hubieras	
o guiases		o hubieses	guiado
guiara		hubiera	
o guiase		o hubiese	guiado
guiáramos		hubiéramos	
o guiásemos		o hubiésemos	guiado
guiarais		hubierais	
o guiaseis		o hubieseis	guiado
guiaran		hubieran	
o guiasen		o hubiesen	guiado

Futuro (Bello : Futuro)		Futuro perf. (Bello : Antefuturo)	
guiare		hubiere	guiado
guiares		hubieres	guiado
guiare		hubiere	guiado
guiáremos		hubiéremos	guiado
guiareis		hubiereis	guiado
guiaren		hubieren	guiado

IMPERATIVO

Presente

guía	tú
guíe	él
guiemos	nosotros
guiad	vosotros
guíen	ellos

FORMAS NO PERSONALES

Infinitivo	Infinitivo compuesto
guiar	haber guiado
Gerundio	**Gerundio compuesto**
guiando	habiendo guiado
Participio	
guiado	

76 actuar

── INDICATIVO ──

Presente
(Bello : Presente)

actúo
actúas
actúa
actuamos
actuáis
actúan

Pret. perf. comp.
(Bello : Antepresente)

he actuado
has actuado
ha actuado
hemos actuado
habéis actuado
han actuado

Pret. imperf.
(Bello : Copretérito)

actuaba
actuabas
actuaba
actuábamos
actuabais
actuaban

Pret. pluscuamp.
(Bello : Antecopretérito)

había actuado
habías actuado
había actuado
habíamos actuado
habíais actuado
habían actuado

Pret. perf. simple
(Bello : Pretérito)

actué
actuaste
actuó
actuamos
actuasteis
actuaron

Pret. anterior
(Bello : Antepretérito)

hube actuado
hubiste actuado
hubo actuado
hubimos actuado
hubisteis actuado
hubieron actuado

Futuro
(Bello : Futuro)

actuaré
actuarás
actuará
actuaremos
actuaréis
actuarán

Futuro perf.
(Bello : Antefuturo)

habré actuado
habrás actuado
habrá actuado
habremos actuado
habréis actuado
habrán actuado

Condicional
(Bello : Pospretérito)

actuaría
actuarías
actuaría
actuaríamos
actuaríais
actuarían

Condicional perf.
(Bello : Antepospretérito)

habría actuado
habrías actuado
habría actuado
habríamos actuado
habríais actuado
habrían actuado

── SUBJUNTIVO ──

Presente
(Bello : Presente)

actúe
actúes
actúe
actuemos
actuéis
actúen

Pret. perf.
(Bello : Antepresente)

haya actuado
hayas actuado
haya actuado
hayamos actuado
hayáis actuado
hayan actuado

Pret. imperf.
(Bello : Pretérito)

actuara
o actuase
actuaras
o actuases
actuara
o actuase
actuáramos
o actuásemos
actuarais
o actuaseis
actuaran
o actuasen

Pret. pluscuamp.
(Bello : Antepretérito)

hubiera
o hubiese actuado
hubieras
o hubieses actuado
hubiera
o hubiese actuado
hubiéramos
o hubiésemos actuado
hubierais
o hubieseis actuado
hubieran
o hubiesen actuado

Futuro
(Bello : Futuro)

actuare
actuares
actuare
actuáremos
actuareis
actuaren

Futuro perf.
(Bello : Antefuturo)

hubiere actuado
hubieres actuado
hubiere actuado
hubiéremos actuado
hubiereis actuado
hubieren actuado

── IMPERATIVO ──

Presente

actúa tú
actúe él
actuemos nosotros
actuad vosotros
actúen ellos

── FORMAS NO PERSONALES ──

Infinitivo
actuar

Infinitivo compuesto
haber actuado

Gerundio
actuando

Gerundio compuesto
habiendo actuado

Participio
actuado

77 averiguar

___ INDICATIVO ___

Presente (Bello : Presente)		Pret. perf. comp. (Bello : Antepresente)	
averiguo		he	averiguado
averiguas		has	averiguado
averigua		ha	averiguado
averiguamos		hemos	averiguado
averiguáis		habéis	averiguado
averiguan		han	averiguado

Pret. imperf. (Bello : Copretérito)		Pret. pluscuamp. (Bello : Antecopretérito)	
averiguaba		había	averiguado
averiguabas		habías	averiguado
averiguaba		había	averiguado
averiguábamos		habíamos	averiguado
averiguabais		habíais	averiguado
averiguaban		habían	averiguado

Pret. perf. simple (Bello : Pretérito)		Pret. anterior (Bello : Antepretérito)	
averigüé		hube	averiguado
averiguaste		hubiste	averiguado
averiguó		hubo	averiguado
averiguamos		hubimos	averiguado
averiguasteis		hubisteis	averiguado
averiguaron		hubieron	averiguado

Futuro (Bello : Futuro)		Futuro perf. (Bello : Antefuturo)	
averiguaré		habré	averiguado
averiguarás		habrás	averiguado
averiguará		habrá	averiguado
averiguaremos		habremos	averiguado
averiguaréis		habréis	averiguado
averiguarán		habrán	averiguado

Condicional (Bello : Pospretérito)		Condicional perf. (Bello : Antepospretérito)	
averiguaría		habría	averiguado
averiguarías		habrías	averiguado
averiguaría		habría	averiguado
averiguaríamos		habríamos	averiguado
averiguaríais		habríais	averiguado
averiguarían		habrían	averiguado

___ SUBJUNTIVO ___

Presente (Bello : Presente)		Pret. perf. (Bello : Antepresente)	
averigüe		haya	averiguado
averigües		hayas	averiguado
averigüe		haya	averiguado
averigüemos		hayamos	averiguado
averigüéis		hayáis	averiguado
averigüen		hayan	averiguado

Pret. imperf. (Bello : Pretérito)	Pret. pluscuamp. (Bello : Antepretérito)	
averiguara	hubiera	
o averiguase	o hubiese	averiguado
averiguaras	hubieras	
o averiguases	o hubieses	averiguado
averiguara	hubiera	
o averiguase	o hubiese	averiguado
averiguáramos	hubiéramos	
o averiguásemos	o hubiésemos	averiguado
averiguarais	hubierais	
o averiguaseis	o hubieseis	averiguado
averiguaran	hubieran	
o averiguasen	o hubiesen	averiguado

Futuro (Bello : Futuro)		Futuro perf. (Bello : Antefuturo)	
averiguare		hubiere	averiguado
averiguares		hubieres	averiguado
averiguare		hubiere	averiguado
averiguáremos		hubiéremos	averiguado
averiguareis		hubiereis	averiguado
averiguaren		hubieren	averiguado

___ IMPERATIVO ___

Presente

averigua	tú
averigüe	él
averigüemos	nosotros
averiguad	vosotros
averigüen	ellos

___ FORMAS NO PERSONALES ___

Infinitivo	Infinitivo compuesto
averiguar	haber averiguado
Gerundio	Gerundio compuesto
averiguando	habiendo averiguado
Participio	
averiguado	

78 airar

———— INDICATIVO ————

Presente (Bello : Presente)		Pret. perf. comp. (Bello : Antepresente)	
aíro		he	airado
aíras		has	airado
aíra		ha	airado
airamos		hemos	airado
airáis		habéis	airado
aíran		han	airado

Pret. imperf. (Bello : Copretérito)		Pret. pluscuamp. (Bello : Antecopretérito)	
airaba		había	airado
airabas		habías	airado
airaba		había	airado
airábamos		habíamos	airado
airabais		habíais	airado
airaban		habían	airado

Pret. perf. simple (Bello : Pretérito)		Pret. anterior (Bello : Antepretérito)	
airé		hube	airado
airaste		hubiste	airado
airó		hubo	airado
airamos		hubimos	airado
airasteis		hubisteis	airado
airaron		hubieron	airado

Futuro (Bello : Futuro)		Futuro perf. (Bello : Antefuturo)	
airaré		habré	airado
airarás		habrás	airado
airará		habrá	airado
airaremos		habremos	airado
airaréis		habréis	airado
airarán		habrán	airado

Condicional (Bello : Pospretérito)		Condicional perf. (Bello : Antepospretérito)	
airaría		habría	airado
airarías		habrías	airado
airaría		habría	airado
airaríamos		habríamos	airado
airaríais		habríais	airado
airarían		habrían	airado

———— SUBJUNTIVO ————

Presente (Bello : Presente)		Pret. perf. (Bello : Antepresente)	
aíre		haya	airado
aíres		hayas	airado
aíre		haya	airado
airemos		hayamos	airado
airéis		hayáis	airado
aíren		hayan	airado

Pret. imperf. (Bello : Pretérito)		Pret. pluscuamp. (Bello : Antepretérito)	
airara		hubiera	
o airase		o hubiese	airado
airaras		hubieras	
o airases		o hubieses	airado
airara		hubiera	
o airase		o hubiese	airado
airáramos		hubiéramos	
o airásemos		o hubiésemos	airado
airarais		hubierais	
o airaseis		o hubieseis	airado
airaran		hubieran	
o airasen		o hubiesen	airado

Futuro (Bello : Futuro)		Futuro perf. (Bello : Antefuturo)	
airare		hubiere	airado
airares		hubieres	airado
airare		hubiere	airado
airáremos		hubiéremos	airado
airareis		hubiereis	airado
airaren		hubieren	airado

———— IMPERATIVO ————

Presente

aíra	tú
aíre	él
airemos	nosotros
airad	vosotros
aíren	ellos

———— FORMAS NO PERSONALES ————

Infinitivo	Infinitivo compuesto
airar	haber airado
Gerundio	Gerundio compuesto
airando	habiendo airado
Participio	
airado	

79 ahincar

—— INDICATIVO —————————

Presente (Bello : Presente)	Pret. perf. comp. (Bello : Antepresente)	
ahínco	he	ahincado
ahíncas	has	ahincado
ahínca	ha	ahincado
ahincamos	hemos	ahincado
ahincáis	habéis	ahincado
ahíncan	han	ahincado

Pret. imperf. (Bello : Copretérito)	Pret. pluscuamp. (Bello : Antecopretérito)	
ahincaba	había	ahincado
ahincabas	habías	ahincado
ahincaba	había	ahincado
ahincábamos	habíamos	ahincado
ahincabais	habíais	ahincado
ahincaban	habían	ahincado

Pret. perf. simple (Bello : Pretérito)	Pret. anterior (Bello : Antepretérito)	
ahinqué	hube	ahincado
ahincaste	hubiste	ahincado
ahincó	hubo	ahincado
ahincamos	hubimos	ahincado
ahincasteis	hubisteis	ahincado
ahincaron	hubieron	ahincado

Futuro (Bello : Futuro)	Futuro perf. (Bello : Antefuturo)	
ahincaré	habré	ahincado
ahincarás	habrás	ahincado
ahincará	habrá	ahincado
ahincaremos	habremos	ahincado
ahincaréis	habréis	ahincado
ahincarán	habrán	ahincado

Condicional (Bello : Pospretérito)	Condicional perf. (Bello : Antepospretérito)	
ahincaría	habría	ahincado
ahincarías	habrías	ahincado
ahincaría	habría	ahincado
ahincaríamos	habríamos	ahincado
ahincaríais	habríais	ahincado
ahincarían	habrían	ahincado

—— SUBJUNTIVO —————————

Presente (Bello : Presente)	Pret. perf. (Bello : Antepresente)	
ahínque	haya	ahincado
ahínques	hayas	ahincado
ahínque	haya	ahincado
ahinquemos	hayamos	ahincado
ahinquéis	hayáis	ahincado
ahínquen	hayan	ahincado

Pret. imperf. (Bello : Pretérito)	Pret. pluscuamp. (Bello : Antepretérito)	
ahincara	hubiera	
o ahincase	o hubiese	ahincado
ahincaras	hubieras	
o ahincases	o hubieses	ahincado
ahincara	hubiera	
o ahincase	o hubiese	ahincado
ahincáramos	hubiéramos	
o ahincásemos	o hubiésemos	ahincado
ahincarais	hubierais	
o ahincaseis	o hubieseis	ahincado
ahincaran	hubieran	
o ahincasen	o hubiesen	ahincado

Futuro (Bello : Futuro)	Futuro perf. (Bello : Antefuturo)	
ahincare	hubiere	ahincado
ahincares	hubieres	ahincado
ahincare	hubiere	ahincado
ahincáremos	hubiéremos	ahincado
ahincareis	hubiereis	ahincado
ahincaren	hubieren	ahincado

—— IMPERATIVO —————————

Presente

ahínca	tú
ahínque	él
ahinquemos	nosotros
ahincad	vosotros
ahínquen	ellos

—— FORMAS NO PERSONALES —————

Infinitivo	Infinitivo compuesto
ahincar	haber ahincado
Gerundio	Gerundio compuesto
ahincando	habiendo ahincado
Participio	
ahincado	

80 cabrahigar

___ INDICATIVO ___

Presente (Bello : Presente)	Pret. perf. comp. (Bello : Antepresente)	
cabrahígo	he	cabrahigado
cabrahígas	has	cabrahigado
cabrahíga	ha	cabrahigado
cabrahigamos	hemos	cabrahigado
cabrahigáis	habéis	cabrahigado
cabrahígan	han	cabrahigado

Pret. imperf. (Bello : Copretérito)	Pret. pluscuamp. (Bello : Antecopretérito)	
cabrahigaba	había	cabrahigado
cabrahigabas	habías	cabrahigado
cabrahigaba	había	cabrahigado
cabrahigábamos	habíamos	cabrahigado
cabrahigabais	habíais	cabrahigado
cabrahigaban	habían	cabrahigado

Pret. perf. simple (Bello : Pretérito)	Pret. anterior (Bello : Antepretérito)	
cabrahigué	hube	cabrahigado
cabrahigaste	hubiste	cabrahigado
cabrahigó	hubo	cabrahigado
cabrahigamos	hubimos	cabrahigado
cabrahigasteis	hubisteis	cabrahigado
cabrahigaron	hubieron	cabrahigado

Futuro (Bello : Futuro)	Futuro perf. (Bello : Antefuturo)	
cabrahigaré	habré	cabrahigado
cabrahigarás	habrás	cabrahigado
cabrahigará	habrá	cabrahigado
cabrahigaremos	habremos	cabrahigado
cabrahigaréis	habréis	cabrahigado
cabrahigarán	habrán	cabrahigado

Condicional (Bello : Pospretérito)	Condicional perf. (Bello : Antepospretérito)	
cabrahigaría	habría	cabrahigado
cabrahigarías	habrías	cabrahigado
cabrahigaría	habría	cabrahigado
cabrahigaríamos	habríamos	cabrahigado
cabrahigaríais	habríais	cabrahigado
cabrahigarían	habrían	cabrahigado

___ SUBJUNTIVO ___

Presente (Bello : Presente)	Pret. perf. (Bello : Antepresente)	
cabrahígue	haya	cabrahigado
cabrahígues	hayas	cabrahigado
cabrahígue	haya	cabrahigado
cabrahiguemos	hayamos	cabrahigado
cabrahiguéis	hayáis	cabrahigado
cabrahíguen	hayan	cabrahigado

Pret. imperf. (Bello : Pretérito)	Pret. pluscuamp. (Bello : Antepretérito)	
cabrahigara	hubiera	
o cabrahigase	o hubiese	cabrahigado
cabrahigaras	hubieras	
o cabrahigases	o hubieses	cabrahigado
cabrahigara	hubiera	
o cabrahigase	o hubiese	cabrahigado
cabrahigáramos	hubiéramos	
o cabrahigásemos	o hubiésemos	cabrahigado
cabrahigarais	hubierais	
o cabrahigaseis	o hubieseis	cabrahigado
cabrahigaran	hubieran	
o cabrahigasen	o hubiesen	cabrahigado

Futuro (Bello : Futuro)	Futuro perf. (Bello : Antefuturo)	
cabrahigare	hubiere	cabrahigado
cabrahigares	hubieres	cabrahigado
cabrahigare	hubiere	cabrahigado
cabrahigáremos	hubiéremos	cabrahigado
cabrahigareis	hubiereis	cabrahigado
cabrahigaren	hubieren	cabrahigado

___ IMPERATIVO ___

Presente

cabrahíga	*tú*
cabrahígue	*él*
cabrahiguemos	*nosotros*
cabrahigad	*vosotros*
cabrahíguen	*ellos*

___ FORMAS NO PERSONALES ___

Infinitivo	Infinitivo compuesto
cabrahigar	haber cabrahigado

Gerundio	Gerundio compuesto
cabrahigando	habiendo cabrahigado

Participio
cabrahigado

81 enraizar

INDICATIVO

Presente
(Bello : Presente)

enraízo
enraízas
enraíza
enraizamos
enraizáis
enraízan

Pret. perf. comp.
(Bello : Antepresente)

he enraizado
has enraizado
ha enraizado
hemos enraizado
habéis enraizado
han enraizado

Pret. imperf.
(Bello : Copretérito)

enraizaba
enraizabas
enraizaba
enraizábamos
enraizabais
enraizaban

Pret. pluscuamp.
(Bello : Antecopretérito)

había enraizado
habías enraizado
había enraizado
habíamos enraizado
habíais enraizado
habían enraizado

Pret. perf. simple
(Bello : Pretérito)

enraíce
enraizaste
enraizó
enraizamos
enraizasteis
enraizaron

Pret. anterior
(Bello : Antepretérito)

hube enraizado
hubiste enraizado
hubo enraizado
hubimos enraizado
hubisteis enraizado
hubieron enraizado

Futuro
(Bello : Futuro)

enraizaré
enraizarás
enraizará
enraizaremos
enraizaréis
enraizarán

Futuro perf.
(Bello : Antefuturo)

habré enraizado
habrás enraizado
habrá enraizado
habremos enraizado
habréis enraizado
habrán enraizado

Condicional
(Bello : Pospretérito)

enraizaría
enraizarías
enraizaría
enraizaríamos
enraizaríais
enraizarían

Condicional perf.
(Bello : Antepospretérito)

habría enraizado
habrías enraizado
habría enraizado
habríamos enraizado
habríais enraizado
habrían enraizado

SUBJUNTIVO

Presente
(Bello : Presente)

enraíce
enraíces
enraíce
enraicemos
enraicéis
enraícen

Pret. perf. comp.
(Bello : Antepresente)

haya enraizado
hayas enraizado
haya enraizado
hayamos enraizado
hayáis enraizado
hayan enraizado

Pret. imperf.
(Bello : Pretérito)

enraizara
o enraizase
enraizaras
o enraizases
enraizara
o enraizase
enraizáramos
o enraizásemos
enraizarais
o enraizaseis
enraizaran
o enraizasen

Pret. pluscuamp.
(Bello : Antepretérito)

hubiera
o hubiese enraizado
hubieras
o hubieses enraizado
hubiera
o hubiese enraizado
hubiéramos
o hubiésemos enraizado
hubierais
o hubieseis enraizado
hubieran
o hubiesen enraizado

Futuro
(Bello : Futuro)

enraizare
enraizares
enraizare
enraizáremos
enraizareis
enraizaren

Futuro perf.
(Bello : Antefuturo)

hubiere enraizado
hubieres enraizado
hubiere enraizado
hubiéremos enraizado
hubiereis enraizado
hubieren enraizado

IMPERATIVO

Presente

enraíza tú
enraíce él
enraicemos nosotros
enraizad vosotros
enraícen ellos

FORMAS NO PERSONALES

Infinitivo
enraizar

Infinitivo compuesto
haber enraizado

Gerundio
enraizando

Gerundio compuesto
habiendo enraizado

Participio
enraizado

82 aullar

___ INDICATIVO ___

Presente (Bello : Presente)		Pret. perf. comp. (Bello : Antepresente)	
aúllo		he	aullado
aúllas		has	aullado
aúlla		ha	aullado
aullamos		hemos	aullado
aulláis		habéis	aullado
aúllan		han	aullado

Pret. imperf. (Bello : Copretérito)		Pret. pluscuamp. (Bello : Antecopretérito)	
aullaba		había	aullado
aullabas		habías	aullado
aullaba		había	aullado
aullábamos		habíamos	aullado
aullabais		habíais	aullado
aullaban		habían	aullado

Pret. perf. simple (Bello : Pretérito)		Pret. anterior (Bello : Antepretérito)	
aullé		hube	aullado
aullaste		hubiste	aullado
aulló		hubo	aullado
aullamos		hubimos	aullado
aullasteis		hubisteis	aullado
aullaron		hubieron	aullado

Futuro (Bello : Futuro)		Futuro perf. (Bello : Antefuturo)	
aullaré		habré	aullado
aullarás		habrás	aullado
aullará		habrá	aullado
aullaremos		habremos	aullado
aullaréis		habréis	aullado
aullarán		habrán ·	aullado

Condicional (Bello : Pospretérito)		Condicional perf. (Bello : Antepospretérito)	
aullaría		habría	aullado
aullarías		habrías	aullado
aullaría		habría	aullado
aullaríamos		habríamos	aullado
aullaríais		habríais	aullado
aullarían		habrían	aullado

___ SUBJUNTIVO ___

Presente (Bello : Presente)		Pret. perf. (Bello : Antepresente)	
aúlle		haya	aullado
aúlles		hayas	aullado
aúlle		haya	aullado
aullemos		hayamos	aullado
aulléis		hayáis	aullado
aúllen		hayan	aullado

Pret. imperf. (Bello : Pretérito)		Pret. pluscuamp. (Bello : Antepretérito)	
aullara		hubiera	
o aullase		o hubiese	aullado
aullaras		hubieras	
o aullases		o hubieses	aullado
aullara		hubiera	
o aullase		o hubiese	aullado
aulláramos		hubiéramos	
o aullásemos		o hubiésemos	aullado
aullarais		hubierais	
o aullaseis		o hubieseis	aullado
aullaran		hubieran	
o aullasen		o hubiesen	aullado

Futuro (Bello : Futuro)		Futuro perf. (Bello : Antefuturo)	
aullare		hubiere	aullado
aullares		hubieres	aullado
aullare		hubiere	aullado
aulláremos		hubiéremos	aullado
aullareis		hubiereis	aullado
aullaren		hubieren	aullado

___ IMPERATIVO ___

Presente

aúlla	tú
aúlle	él
aullemos	nosotros
aullad	vosotros
aúllen	ellos

___ FORMAS NO PERSONALES ___

Infinitivo	Infinitivo compuesto
aullar	haber aullado

Gerundio	Gerundio compuesto
aullando	habiendo aullado

Participio	
aullado	

83 mecer

___ INDICATIVO ___

Presente (Bello : Presente)	Pret. perf. comp. (Bello : Antepresente)	
mezo	he	mecido
meces	has	mecido
mece	ha	mecido
mecemos	hemos	mecido
mecéis	habéis	mecido
mecen	han	mecido

Pret. imperf. (Bello : Copretérito)	Pret. pluscuamp. (Bello : Antecopretérito)	
mecía	había	mecido
mecías	habías	mecido
mecía	había	mecido
mecíamos	habíamos	mecido
mecíais	habíais	mecido
mecían	habían	mecido

Pret. perf. simple (Bello : Pretérito)	Pret. anterior (Bello : Antepretérito)	
mecí	hube	mecido
meciste	hubiste	mecido
meció	hubo	mecido
mecimos	hubimos	mecido
mecisteis	hubisteis	mecido
mecieron	hubieron	mecido

Futuro (Bello : Futuro)	Futuro perf. (Bello : Antefuturo)	
meceré	habré	mecido
mecerás	habrás	mecido
mecerá	habrá	mecido
meceremos	habremos	mecido
meceréis	habréis	mecido
mecerán	habrán	mecido

Condicional (Bello : Pospretérito)	Condicional perf. (Bello : Antepospretérito)	
mecería	habría	mecido
mecerías	habrías	mecido
mecería	habría	mecido
meceríamos	habríamos	mecido
meceríais	habríais	mecido
mecerían	habrían	mecido

___ SUBJUNTIVO ___

Presente (Bello : Presente)	Pret. perf. (Bello : Antepresente)	
meza	haya	mecido
mezas	hayas	mecido
meza	haya	mecido
mezamos	hayamos	mecido
mezáis	hayáis	mecido
mezan	hayan	mecido

Pret. imperf. (Bello : Pretérito)	Pret. pluscuamp. (Bello : Antepretérito)	
meciera	hubiera	
o meciese	o hubiese	mecido
mecieras	hubieras	
o mecieses	o hubieses	mecido
meciera	hubiera	
o meciese	o hubiese	mecido
meciéramos	hubiéramos	
o meciésemos	o hubiésemos	mecido
mecierais	hubierais	
o mecieseis	o hubieseis	mecido
mecieran	hubieran	
o meciesen	o hubiesen	mecido

Futuro (Bello : Futuro)	Futuro perf. (Bello : Antefuturo)	
meciere	hubiere	mecido
mecieres	hubieres	mecido
meciere	hubiere	mecido
meciéremos	hubiéremos	mecido
meciereis	hubiereis	mecido
mecieren	hubieren	mecido

___ IMPERATIVO ___

Presente

mece	tú
meza	él
mezamos	nosotros
meced	vosotros
mezan	ellos

___ FORMAS NO PERSONALES ___

Infinitivo	Infinitivo compuesto
mecer	haber mecido
Gerundio	**Gerundio compuesto**
meciendo	habiendo mecido
Participio	
mecido	

84 proteger

INDICATIVO

Presente (Bello : Presente)	Pret. perf. comp. (Bello : Antepresente)	
protejo	he	protegido
proteges	has	protegido
protege	ha	protegido
protegemos	hemos	protegido
protegéis	habéis	protegido
protegen	han	protegido

Pret. imperf. (Bello : Copretérito)	Pret. pluscuamp. (Bello : Antecopretérito)	
protegía	había	protegido
protegías	habías	protegido
protegía	había	protegido
protegíamos	habíamos	protegido
protegíais	habíais	protegido
protegían	habían	protegido

Pret. perf. simple (Bello : Pretérito)	Pret. anterior (Bello : Antepretérito)	
protegí	hube	protegido
protegiste	hubiste	protegido
protegió	hubo	protegido
protegimos	hubimos	protegido
protegisteis	hubisteis	protegido
protegieron	hubieron	protegido

Futuro (Bello : Futuro)	Futuro perf. (Bello : Antefuturo)	
protegeré	habré	protegido
protegerás	habrás	protegido
protegerá	habrá	protegido
protegeremos	habremos	protegido
protegeréis	habréis	protegido
protegerán	habrán	protegido

Condicional (Bello : Pospretérito)	Condicional perf. (Bello : Antepospretérito)	
protegería	habría	protegido
protegerías	habrías	protegido
protegería	habría	protegido
protegeríamos	habríamos	protegido
protegeríais	habríais	protegido
protegerían	habrían	protegido

SUBJUNTIVO

Presente (Bello : Presente)	Pret. perf. (Bello : Antepresente)	
proteja	haya	protegido
protejas	hayas	protegido
proteja	haya	protegido
protejamos	hayamos	protegido
protejáis	hayáis	protegido
protejan	hayan	protegido

Pret. imperf. (Bello : Pretérito)	Pret. pluscuamp. (Bello : Antepretérito)	
protegiera	hubiera	
o protegiese	o hubiese	protegido
protegieras	hubieras	
o protegieses	o hubieses	protegido
protegiera	hubiera	
o protegiese	o hubiese	protegido
protegiéramos	hubiéramos	
o protegiésemos	o hubiésemos	protegido
protegierais	hubierais	
o protegieseis	o hubieseis	protegido
protegieran	hubieran	
o protegiesen	o hubiesen	protegido

Futuro (Bello : Futuro)	Futuro perf. (Bello : Antefuturo)	
protegiere	hubiere	protegido
protegieres	hubieres	protegido
protegiere	hubiere	protegido
protegiéremos	hubiéremos	protegido
protegiereis	hubiereis	protegido
protegieren	hubieren	protegido

IMPERATIVO

Presente

protege	tú
proteja	él
protejamos	nosotros
proteged	vosotros
protejan	ellos

FORMAS NO PERSONALES

Infinitivo	Infinitivo compuesto
proteger	haber protegido
Gerundio	**Gerundio compuesto**
protegiendo	habiendo protegido
Participio	
protegido	

85 zurcir

INDICATIVO

Presente (Bello : Presente)	Pret. perf. comp. (Bello : Antepresente)
zurzo	he zurcido
zurces	has zurcido
zurce	ha zurcido
zurcimos	hemos zurcido
zurcís	habéis zurcido
zurcen	han zurcido

Pret. imperf. (Bello : Copretérito)	Pret. pluscuamp. (Bello : Antecopretérito)
zurcía	había zurcido
zurcías	habías zurcido
zurcía	había zurcido
zurcíamos	habíamos zurcido
zurcíais	habíais zurcido
zurcían	habían zurcido

Pret. perf. simple (Bello : Pretérito)	Pret. anterior (Bello : Antepretérito)
zurcí	hube zurcido
zurciste	hubiste zurcido
zurció	hubo zurcido
zurcimos	hubimos zurcido
zurcisteis	hubisteis zurcido
zurcieron	hubieron zurcido

Futuro (Bello : Futuro)	Futuro perf. (Bello : Antefuturo)
zurciré	habré zurcido
zurcirás	habrás zurcido
zurcirá	habrá zurcido
zurciremos	habremos zurcido
zurciréis	habréis zurcido
zurcirán	habrán zurcido

Condicional (Bello : Pospretérito)	Condicional perf. (Bello : Antepospretérito)
zurciría	habría zurcido
zurcirías	habrías zurcido
zurciría	habría zurcido
zurciríamos	habríamos zurcido
zurciríais	habríais zurcido
zurcirían	habrían zurcido

SUBJUNTIVO

Presente (Bello : Presente)	Pret. perf. (Bello : Antepresente)
zurza	haya zurcido
zurzas	hayas zurcido
zurza	haya zurcido
zurzamos	hayamos zurcido
zurzáis	hayáis zurcido
zurzan	hayan zurcido

Pret. imperf. (Bello : Pretérito)	Pret. pluscuamp. (Bello : Antepretérito)
zurciera	hubiera
o zurciese	o hubiese zurcido
zurcieras	hubieras
o zurcieses	o hubieses zurcido
zurciera	hubiera
o zurciese	o hubiese zurcido
zurciéramos	hubiéramos
o zurciésemos	o hubiésemos zurcido
zurcierais	hubierais
o zurcieseis	o hubieseis zurcido
zurcieran	hubieran
o zurciesen	o hubiesen zurcido

Futuro (Bello : Futuro)	Futuro perf. (Bello : Antefuturo)
zurciere	hubiere zurcido
zurcieres	hubieres zurcido
zurciere	hubiere zurcido
zurciéremos	hubiéremos zurcido
zurciereis	hubiereis zurcido
zurcieren	hubieren zurcido

IMPERATIVO

Presente

zurce	tú
zurza	él
zurzamos	nosotros
zurcid	vosotros
zurzan	ellos

FORMAS NO PERSONALES

Infinitivo zurcir	Infinitivo compuesto haber zurcido
Gerundio zurciendo	Gerundio compuesto habiendo zurcido
Participio zurcido	

108

86 dirigir

—— INDICATIVO ——

Presente (Bello : Presente)	Pret. perf. comp. (Bello : Antepresente)	
dirijo	he	dirigido
diriges	has	dirigido
dirige	ha	dirigido
dirigimos	hemos	dirigido
dirigís	habéis	dirigido
dirigen	han	dirigido

Pret. imperf. (Bello : Copretérito)	Pret. pluscuamp. (Bello : Antecopretérito)	
dirigía	había	dirigido
dirigías	habías	dirigido
dirigía	había	dirigido
dirigíamos	habíamos	dirigido
dirigíais	habíais	dirigido
dirigían	habían	dirigido

Pret. perf. simple (Bello : Pretérito)	Pret. anterior (Bello : Antepretérito)	
dirigí	hube	dirigido
dirigiste	hubiste	dirigido
dirigió	hubo	dirigido
dirigimos	hubimos	dirigido
dirigisteis	hubisteis	dirigido
dirigieron	hubieron	dirigido

Futuro (Bello : Futuro)	Futuro perf. (Bello : Antefuturo)	
dirigiré	habré	dirigido
dirigirás	habrás	dirigido
dirigirá	habrá	dirigido
dirigiremos	habremos	dirigido
dirigiréis	habréis	dirigido
dirigirán	habrán	dirigido

Condicional (Bello : Pospretérito)	Condicional perf. (Bello : Antepospretérito)	
dirigiría	habría	dirigido
dirigirías	habrías	dirigido
dirigiría	habría	dirigido
dirigiríamos	habríamos	dirigido
dirigiríais	habríais	dirigido
dirigirían	habrían	dirigido

—— SUBJUNTIVO ——

Presente (Bello : Presente)	Pret. perf. (Bello : Antepresente)	
dirija	haya	dirigido
dirijas	hayas	dirigido
dirija	haya	dirigido
dirijamos	hayamos	dirigido
dirijáis	hayáis	dirigido
dirijan	hayan	dirigido

Pret. imperf. (Bello : Pretérito)	Pret. pluscuamp. (Bello : Antepretérito)	
dirigiera	hubiera	
o dirigiese	o hubiese	dirigido
dirigieras	hubieras	
o dirigieses	o hubieses	dirigido
dirigiera	hubiera	
o dirigiese	o hubiese	dirigido
dirigiéramos	hubiéramos	
o dirigiésemos	o hubiésemos	dirigido
dirigierais	hubierais	
o dirigieseis	o hubieseis	dirigido
dirigieran	hubieran	
o dirigiesen	o hubiesen	dirigido

Futuro (Bello : Futuro)	Futuro perf. (Bello : Antefuturo)	
dirigiere	hubiere	dirigido
dirigieres	hubieres	dirigido
dirigiere	hubiere	dirigido
dirigiéremos	hubiéremos	dirigido
dirigiereis	hubiereis	dirigido
dirigieren	hubieren	dirigido

—— IMPERATIVO ——

Presente

dirige	tú
dirija	él
dirijamos	nosotros
dirigid	vosotros
dirijan	ellos

—— FORMAS NO PERSONALES ——

Infinitivo	Infinitivo compuesto
dirigir	haber dirigido
Gerundio	Gerundio compuesto
dirigiendo	habiendo dirigido
Participio	
dirigido	

87 distinguir

INDICATIVO

Presente (Bello : Presente)		Pret. perf. comp. (Bello : Antepresente)	
distingo		he	distinguido
distingues		has	distinguido
distingue		ha	distinguido
distinguimos		hemos	distinguido
distinguís		habéis	distinguido
distinguen		han	distinguido

Pret. imperf. (Bello : Copretérito)		Pret. pluscuamp. (Bello : Antecopretérito)	
distinguía		había	distinguido
distinguías		habías	distinguido
distinguía		había	distinguido
distinguíamos		habíamos	distinguido
distinguíais		habíais	distinguido
distinguían		habían	distinguido

Pret. perf. simple (Bello : Pretérito)		Pret. anterior (Bello : Antepretérito)	
distinguí		hube	distinguido
distinguiste		hubiste	distinguido
distinguió		hubo	distinguido
distinguimos		hubimos	distinguido
distinguisteis		hubisteis	distinguido
distinguieron		hubieron	distinguido

Futuro (Bello : Futuro)		Futuro perf. (Bello : Antefuturo)	
distinguiré		habré	distinguido
distinguirás		habrás	distinguido
distinguirá		habrá	distinguido
distinguiremos		habremos	distinguido
distinguiréis		habréis	distinguido
distinguirán		habrán	distinguido

Condicional (Bello : Pospretérito)		Condicional perf. (Bello : Antepospretérito)	
distinguiría		habría	distinguido
distinguirías		habrías	distinguido
distinguiría		habría	distinguido
distinguiríamos		habríamos	distinguido
distinguiríais		habríais	distinguido
distinguirían		habrían	distinguido

SUBJUNTIVO

Presente (Bello : Presente)		Pret. perf. (Bello : Antepresente)	
distinga		haya	distinguido
distingas		hayas	distinguido
distinga		haya	distinguido
distingamos		hayamos	distinguido
distingáis		hayáis	distinguido
distingan		hayan	distinguido

Pret. imperf. (Bello : Pretérito)		Pret. pluscuamp. (Bello : Antepretérito)	
distinguiera		hubiera	
o distinguiese		o hubiese	distinguido
distinguieras		hubieras	
o distinguieses		o hubieses	distinguido
distinguiera		hubiera	
o distinguiese		o hubiese	distinguido
distinguiéramos		hubiéramos	
o distinguiésemos		o hubiésemos	distinguido
distinguierais		hubierais	
o distinguieseis		o hubieseis	distinguido
distinguieran		hubieran	
o distinguiesen		o hubiesen	distinguido

Futuro (Bello : Futuro)		Futuro perf. (Bello : Antefuturo)	
distinguiere		hubiere	distinguido
distinguieres		hubieres	distinguido
distinguiere		hubiere	distinguido
distinguiéremos		hubiéremos	distinguido
distinguiereis		hubiereis	distinguido
distinguieren		hubieren	distinguido

IMPERATIVO

Presente

distingue	tú
distinga	él
distingamos	nosotros
distinguid	vosotros
distingan	ellos

FORMAS NO PERSONALES

Infinitivo	Infinitivo compuesto
distinguir	haber distinguido
Gerundio	**Gerundio compuesto**
distinguiendo	habiendo distinguido
Participio	
distinguido	

88 delinquir

Presente
(Bello : Presente)

delinco
delinques
delinque
delinquimos
delinquís
delinquen

Pret. perf. comp.
(Bello : Antepresente)

he   delinquido
has   delinquido
ha   delinquido
hemos   delinquido
habéis   delinquido
han   delinquido

Presente
(Bello : Presente)

delinca
delincas
delinca
delincamos
delincáis
delincan

Pret. perf.
(Bello : Antepresente)

haya   delinquido
hayas   delinquido
haya   delinquido
hayamos   delinquido
hayáis   delinquido
hayan   delinquido

Pret. imperf.
(Bello : Copretérito)

delinquía
delinquías
delinquía
delinquíamos
delinquíais
delinquían

Pret. pluscuamp.
(Bello : Antecopretérito)

había   delinquido
habías   delinquido
había   delinquido
habíamos   delinquido
habíais   delinquido
habían   delinquido

Pret. imperf.
(Bello : Pretérito)

delinquiera
o delinquiese
delinquieras
o delinquieses
delinquiera
o delinquiese
delinquiéramos
o delinquiésemos
delinquierais
o delinquieseis
delinquieran
o delinquiesen

Pret. pluscuamp.
(Bello : Antepretérito)

hubiera
o hubiese   delinquido
hubieras
o hubieses   delinquido
hubiera
o hubiese   delinquido
hubiéramos
o hubiésemos delinquido
hubierais
o hubieseis   delinquido
hubieran
o hubiesen   delinquido

Pret. perf. simple
(Bello : Pretérito)

delinquí
delinquiste
delinquió
delinquimos
delinquisteis
delinquieron

Pret. anterior
(Bello : Antepretérito)

hube   delinquido
hubiste   delinquido
hubo   delinquido
hubimos   delinquido
hubisteis   delinquido
hubieron   delinquido

Futuro
(Bello : Futuro)

delinquiere
delinquieres
delinquiere
delinquiéremos
delinquiereis
delinquieren

Futuro perf.
(Bello : Antefuturo)

hubiere   delinquido
hubieres   delinquido
hubiere   delinquido
hubiéremos delinquido
hubiereis   delinquido
hubieren   delinquido

Futuro
(Bello : Futuro)

delinquiré
delinquirás
delinquirá
delinquiremos
delinquiréis
delinquirán

Futuro perf.
(Bello : Antefuturo)

habré   delinquido
habrás   delinquido
habrá   delinquido
habremos   delinquido
habréis   delinquido
habrán   delinquido

Presente

delinque   tú
delinca   él
delincamos nosotros
delinquid   vosotros
delincan ellos

Condicional
(Bello : Pospretérito)

delinquiría
delinquirías
delinquiría
delinquiríamos
delinquiríais
delinquirían

Condicional perf.
(Bello : Antepospretérito)

habría   delinquido
habrías   delinquido
habría   delinquido
habríamos   delinquido
habríais   delinquido
habrían   delinquido

Infinitivo
delinquir

Infinitivo compuesto
haber delinquido

Gerundio
delinquiendo

Gerundio compuesto
habiendo delinquido

Participio
delinquido

89 prohibir

—— INDICATIVO ——

Presente (Bello : Presente)		Pret. perf. comp. (Bello : Antepresente)	
prohíbo		he	prohibido
prohíbes		has	prohibido
prohíbe		ha	prohibido
prohibimos		hemos	prohibido
prohibís		habéis	prohibido
prohíben		han	prohibido

Pret. imperf. (Bello : Copretérito)		Pret. pluscuamp. (Bello : Antecopretérito)	
prohibía		había	prohibido
prohibías		habías	prohibido
prohibía		había	prohibido
prohibíamos		habíamos	prohibido
prohibíais		habíais	prohibido
prohibían		habían	prohibido

Pret. perf. simple (Bello : Pretérito)		Pret. anterior (Bello : Antepretérito)	
prohibí		hube	prohibido
prohibiste		hubiste	prohibido
prohibió		hubo	prohibido
prohibimos		hubimos	prohibido
prohibisteis		hubisteis	prohibido
prohibieron		hubieron	prohibido

Futuro (Bello : Futuro)		Futuro perf. (Bello : Antefuturo)	
prohibiré		habré	prohibido
prohibirás		habrás	prohibido
prohibirá		habrá	prohibido
prohibiremos		habremos	prohibido
prohibiréis		habréis	prohibido
prohibirán		habrán	prohibido

Condicional (Bello : Pospretérito)		Condicional perf. (Bello : Antepospretérito)	
prohibiría		habría	prohibido
prohibirías		habrías	prohibido
prohibiría		habría	prohibido
prohibiríamos		habríamos	prohibido
prohibiríais		habríais	prohibido
prohibirían		habrían	prohibido

—— SUBJUNTIVO ——

Presente (Bello : Presente)		Pret. perf. (Bello : Antepresente)	
prohíba		haya	prohibido
prohíbas		hayas	prohibido
prohíba		haya	prohibido
prohibamos		hayamos	prohibido
prohibáis		hayáis	prohibido
prohíban		hayan	prohibido

Pret. imperf. (Bello : Pretérito)		Pret. pluscuamp. (Bello : Antepretérito)	
prohibiera		hubiera	
o prohibiese		o hubiese	prohibido
prohibieras		hubieras	
o prohibieses		o hubieses	prohibido
prohibiera		hubiera	
o prohibiese		o hubiese	prohibido
prohibiéramos		hubiéramos	
o prohibiésemos		o hubiésemos	prohibido
prohibierais		hubierais	
o prohibieseis		o hubieseis	prohibido
prohibieran		hubieran	
o prohibiesen		o hubiesen	prohibido

Futuro (Bello : Futuro)		Futuro perf. (Bello : Antefuturo)	
prohibiere		hubiere	prohibido
prohibieres		hubieres	prohibido
prohibiere		hubiere	prohibido
prohibiéremos		hubiéremos	prohibido
prohibiereis		hubiereis	prohibido
prohibieren		hubieren	prohibido

—— IMPERATIVO ——

Presente

prohíbe	tú
prohíba	él
prohibamos	nosotros
prohibid	vosotros
prohíban	ellos

—— FORMAS NO PERSONALES ——

Infinitivo	Infinitivo compuesto
prohibir	haber prohibido
Gerundio	Gerundio compuesto
prohibiendo	habiendo prohibido
Participio	
prohibido	

90 reunir

___ INDICATIVO ___

Presente (Bello : Presente)		Pret. perf. comp. (Bello : Antepresente)	
reúno		he	reunido
reúnes		has	reunido
reúne		ha	reunido
reunimos		hemos	reunido
reunís		habéis	reunido
reúnen		han	reunido

Pret. imperf. (Bello : Copretérito)		Pret. pluscuamp. (Bello : Antecopretérito)	
reunía		había	reunido
reunías		habías	reunido
reunía		había	reunido
reuníamos		habíamos	reunido
reuníais		habíais	reunido
reunían		habían	reunido

Pret. perf. simple (Bello : Pretérito)		Pret. anterior (Bello : Antepretérito)	
reuní		hube	reunido
reuniste		hubiste	reunido
reunió		hubo	reunido
reunimos		hubimos	reunido
reunisteis		hubisteis	reunido
reunieron		hubieron	reunido

Futuro (Bello : Futuro)		Futuro perf. (Bello : Antefuturo)	
reuniré		habré	reunido
reunirás		habrás	reunido
reunirá		habrá	reunido
reuniremos		habremos	reunido
reuniréis		habréis	reunido
reunirán		habrán	reunido

Condicional (Bello : Pospretérito)		Condicional perf. (Bello : Antepospretérito)	
reuniría		habría	reunido
reunirías		habrías	reunido
reuniría		habría	reunido
reuniríamos		habríamos	reunido
reuniríais		habríais	reunido
reunirían		habrían	reunido

___ SUBJUNTIVO ___

Presente (Bello : Presente)		Pret. perf. (Bello : Antepresente)	
reúna		haya	reunido
reúnas		hayas	reunido
reúna		haya	reunido
reunamos		hayamos	reunido
reunáis		hayáis	reunido
reúnan		hayan	reunido

Pret. imperf. (Bello : Pretérito)		Pret. pluscuamp. (Bello : Antepretérito)	
reuniera		hubiera	
o reuniese		o hubiese	reunido
reunieras		hubieras	
o reunieses		o hubieses	reunido
reuniera		hubiera	
o reuniese		o hubiese	reunido
reuniéramos		hubiéramos	
o reuniésemos		o hubiésemos	reunido
reunierais		hubierais	
o reunieseis		o hubieseis	reunido
reunieran		hubieran	
o reuniesen		o hubiesen	reunido

Futuro (Bello : Futuro)		Futuro perf. (Bello : Antefuturo)	
reuniere		hubiere	reunido
reunieres		hubieres	reunido
reuniere		hubiere	reunido
reuniéremos		hubiéremos	reunido
reuniereis		hubiereis	reunido
reunieren		hubieren	reunido

___ IMPERATIVO ___

Presente

reúne	tú
reúna	él
reunamos	nosotros
reunid	vosotros
reúnan	ellos

___ FORMAS NO PERSONALES ___

Infinitivo	Infinitivo compuesto
reunir	haber reunido

Gerundio	Gerundio compuesto
reuniendo	habiendo reunido

Participio	
reunido	

Índice alfabético de verbos

(los números indican los cuadros de conjugación del modelo)

Se utilizan las siguientes abreviaturas :
[defect.] = verbo defectivo
[unipers.] = verbo unipersonal
[part. irreg.] = participio irregular
[dos part.] = dos participios

En los apéndices al final del libro aparecen listas alfabéticas de los verbos con algunas de estas características.

a

abrevar	3	acanastillar	3	aciberar	3
abreviar	3	acancerarse	3	acicalar	3
abribonarse	3	acanchar	3	acicatear	3
abrigar	72	acandilar	3	acidificar	71
abrillantar	3	acantarar	3	acidular	3
abriolar	3	acantilar	3	aciguatar	3
abrir [part. irreg.]	5	acantonar	3	acincelar	3
abrocalar	3	acanutar	3	acingar	72
abrochar	3	acanutillar	3	aclamar	3
abrogar	72	acaparar	3	aclarar	3
abromar	3	acaparrarse	3	aclarecer	35
abroncar	71	acapullarse	3	aclavelarse	3
abroquelar	3	acaracolarse	3	aclimatar	3
abrumar	3	acaramelar	3	aclocar	60
abrutar	3	acardenalar	3	acobardar	3
absolver	21	acarear	3	acocarse	71
absorber [dos part.]	4	acariciar	3	acocear	3
abstenerse	15	acarminar	3	acocotar	3
absterger	84	acarnerar	3	acochambrar	3
abstraer [dos part.]	51	acarralarse	3	acocharse	3
abuchear	3	acarrear	3	acochinar	3
abultar	3	acarroñarse	3	acodalar	3
abundar	3	acartonar	3	acodar	3
abuñolar	19	acasamatar	3	acoderar	3
abuñuelar	3	acaserarse	3	acodiciar	3
aburguesarse	3	acatar	3	acodillar	3
aburilar	3	acatarrar	3	acoger	84
aburrarse	3	acatastrar	3	acogollar	3
aburrir	5	acaudalar	3	acogotar	3
abusar	3	acaudillar	3	acohombrar	3
acaballar	3	acceder	4	acojinar	3
acaballerar	3	accidentalizar	73	acojonar	3
acaballonar	3	accidentar	3	acolar	3
acabañar	3	accionar	3	acolchar	3
acabar	3	acebollarse	3	acolchonar	3
acabestrarse	3	acecinar	3	acolgajar	3
acabestrillar	3	acechar	3	acolitar	3
acabildar	3	acedar	3	acollar	19
acachetar	3	aceitar	3	acollarar	3
acachetear	3	acelerar	3	acollonar	3
academizar	73	acendrar	3	acombar	3
acadenillar	3	acenefar	3	acomedir	6
acaecer [defect.]	35	acensuar	76	acometer	4
acalabazarse	73	acentuar	76	acomodar	3
acalabrotar	3	acepar	3	acompañar	3
acalambrarse	3	acepillar	3	acompasar	3
acalandrar	3	aceptar	3	acomplejar	3
acalenturarse	3	acequiar	3	acomunar	3
acalorar	3	acerar	3	aconchabarse	3
acallar	3	acercar	71	aconchar	3
acamalar	3	acerrar	11	acondicionar	3
acamaleonarse	3	acerrojar	3	acongojar	3
acamar	3	acertar	11	aconsejar	3
acamastronarse	3	acervar	3	aconsonantar	3
acamellonar	3	acestonar	3	acontecer [defect.]	35
acampanar	3	acetificar	71	acopar	3
acampar	3	acetrinar	3	acopejar	3
acanalar	3	acezar	73	acopetar	3
acanallar	3	acibarar	3	acopiar	3

ajumarse	3	alejar	3	almorzar	74
ajunquillar	3	alelar	3	alocar	71
ajuntarse	3	alentar	11	alojar	3
ajustar	3	aleonar	3	alomar	3
ajusticiar	3	alertar	3	alongar	61
alabar	3	alesnar	3	aloquecer	35
alabastrar	3	aletargar	72	alotar	3
alabear	3	aletear	3	alpargatar	3
alaciarse	3	alevinar	3	alquilar	3
alacranear	3	aleznar	3	alquitarar	3
alagar	72	alfabetizar	73	alquitranar	3
alagartarse	3	alfar	3	altear	3
alambicar	71	alfeizar	73	alterar	3
alambrar	3	alfeñicarse	71	altercar	71
alancear	3	alfeñizarse	73	alternar	3
alandrearse	3	alfilerar	3	altivar	3
alanzar	73	alfombrar	3	altivecer	35
alardear	3	alforzar	73	alucinar	3
alargar	72	algaliar	3	aludir	5
alarmar	3	algarrobar	3	alujar	3
alastrarse	3	algebrizar	73	alumbrar	3
alatonar	3	algodonar	3	alunarse	3
albañilear	3	alhajar	3	alunizar	73
albardar	3	aliar	75	alustrar	3
albardillar	3	alicatar	3	aluzar	73
albayaldar	3	alicortar	3	alzaprimar	3
albear	3	alienar	3	alzar	73
albergar	72	aligar	72	allanar	3
alboguear	3	aligerar	3	allegar	72
alborear [unipers.]	3	alijar	3	amacizar	73
alborotar	3	alijarar	3	amacollarse	3
alborozar	73	alimentar	3	amachambrar	3
albuminar	3	alimonarse	3	amachar	3
alburear	3	alindar	3	amachetear	3
alcachofar	3	alinderar	3	amachimbrarse	3
alcahuetear	3	alinear	3	amachinarse	3
alcalinizar	73	aliñar	3	amadamarse	3
alcanforar	3	aliquebrar	11	amadrinar	3
alcantarillar	3	alisar	3	amaestrar	3
alcanzar	73	alistar	3	amagar	72
alcatifar	3	aliviar	3	amainar	3
alcoholar	3	aljamiar	3	amaitinar	3
alcoholizar	73	aljofarar	3	amajadar	3
alcorzar	73	aljofifar	3	amalayar	3
aldabar	3	almacenar	3	amalgamar	3
aldabear	3	almacigarse	72	amalhayar	3
aldabonear	3	almagrar	3	amallarse	3
alear	3	almarbatar	3	amamantar	3
alebrarse	3	almenar	3	amancebarse	3
alebrastarse	3	almendrar	3	amancillar	3
alebrestarse	3	almibarar	3	amanecer [unipers.]	35
aleccionar	3	almidonar	3	amanerar	3
alechigar	72	almirantear	3	amaniguarse	77
alechugar	72	almizclar	3	amanojar	3
alechuguinarse	3	almogavarear	3	amansar	3
alechuzarse	73	almohadillar	3	amantillar	3
alegar	72	almohazar	73	amanzanar	3
alegorizar	73	almonedar	3	amañar	3
alegrar	3	almonedear	3	amar	3

apañar	3	apilonar	3	aprontar	3
apañuscar	71	apimplarse	3	apropiar	3
aparar	3	apimpollarse	3	apropincuarse	3
aparcar	71	apiñar	3	aprovechar	3
aparear	3	apiolar	3	aprovisionar	3
aparecer	35	apiparse	3	aproximar	3
aparejar	3	apirgüinarse	3	apulgarar	3
aparentar	3	apisonar	3	apunarse	3
aparragarse	72	apitonar	3	apuntalar	3
aparrar	3	aplacar	71	apuntar	3
aparroquiar	3	aplacer [defect.]	40	apuntillar	3
apartar	3	aplanar	3	apuñalar	3
aparvar	3	aplastar	3	apuñar	3
apasionar	3	aplatanarse	3	apuñear	3
apatronarse	3	aplaudir	5	apuñuscar	71
apear	3	aplayar	3	apupar	3
apechar	3	aplazar	73	apurar	3
apechugar	72	aplebeyar	3	aquejar	3
apedarse	3	aplicar	71	aquejumbrarse	3
apedazar	73	aplomar	3	aquerenciarse	3
apedrear	3	apocar	71	aquietar	3
apegar	72	apocopar	3	aquilatar	3
apeladarse	3	apocharse	3	aquistar	3
apelambrar	3	apodar	3	arabizar	73
apelar	3	apoderar	3	arancelar	3
apelmazar	73	apolillar	3	arañar	3
apelotar	3	apolismar	3	arar	3
apelotonar	3	apoliyar	3	arbitrar	3
apellar	3	apologetizar	73	arbolar	3
apellidar	3	apoltronarse	3	arbolecer	35
apenar	3	apomazar	73	arborecer	35
apencar	71	aporcar	60	arborizar	73
apendejarse	3	aporrar	3	arcabucear	3
apensionar	3	aporrear	3	arcaizar	81
apeonar	3	aportar	3	arcillar	3
aperar	3	aportillar	3	archivar	3
apercancarse	71	aportuguesar	3	arder	4
apercibir	5	aposentar	3	arenar	3
apercollar	19	apostar	19	arencar	71
aperchar	3	apostatar	3	arengar	72
apergaminarse	3	apostemar	3	arfar	3
apergollar	3	apostillar	3	argamasar	3
apernar	11	apostolizar	73	argentar	3
aperrear	3	apostrofar	3	argentinizar	73
aperrillar	3	apotrerar	3	argollar	3
apersogar	72	apoyar	3	argüir	44
apersonarse	3	apreciar	3	argumentar	3
apertrechar	3	aprehender	4	aricar	71
apesadumbrar	3	apremiar	3	aridecer	35
apesarar	3	aprender	4	ariscar	71
apesgar	72	aprensar	3	aristocratizar	73
apestar	3	apresar	3	armar	3
apetecer	35	aprestar	3	armonizar	73
apezuñar	3	apresurar	3	aromar	3
apiadar	3	apretar	11	aromatizar	73
apianar	3	apretujar	3	arpegiar	3
apicararse	3	apriscar	71	arpillar	3
apiensar	3	aprisionar	3	arponar	3
apilar	3	aprobar	19	arponear	3

bogar	72	broncear	3	caer	50
boguear	3	broquelarse	3	cafetear	3
boicotear	3	brotar	3	cagar	72
bojar	3	brozar	73	cairelar	3
bojear	3	brujear	3	cajetear	3
bojotear	3	brujir	5	calabacear	3
bolacear	3	brujulear	3	calafatear	3
bolchevizar	73	brumar	3	calandrar	3
bolear	3	bruñir	9	calar	3
boletar	3	brutalizarse	73	calaverear	3
boliar	3	bruzar	73	calcar	71
bolichear	3	bucear	3	calcificar	71
bolinear	3	bufar	3	calcinar	3
bolsear	3	bufonear	3	calcografiar	75
bolsiquear	3	bufonizar	73	calcular	3
boludear	3	buhonear	3	caldear	3
bollar	3	buir	44	calecer	35
bombardear	3	buitrear	3	calentar	11
bombear	3	bullir	9	caletear	3
bonificar	71	burbujear	3	calibrar	3
boquear	3	burear	3	calificar	71
boquetear	3	burilar	3	caligrafiar	75
borbollar	3	burlar	3	calmar	3
borbollear	3	burocratizar	73	calofriarse	75
borbollonear	3	burrear	3	calosfriarse	75
borbotar	3	buscar	71	calotear	3
bordar	3	busconear	3	calumniar	3
bordear	3	buzar	73	calzar	73
bordonear	3			callar	3
borlarse	3			callear	3
bornear	3			callejear	3
borrachear	3	**C**		camandulear	3
borrajear	3			camaronear	3
borrar	3	cabalgar	72	camastrear	3
borronear	3	cabecear	3	cambalachar	3
bosquejar	3	caber	48	cambalachear	3
bostear	3	cabestrar	3	cambiar	3
bostezar	73	cabestrear	3	camelar	3
bosticar	71	cabildear	3	camellear	3
botar	3	cablegrafiar	75	caminar	3
botonar	3	cabrahigar	80	camochar	3
boxear	3	cabrear	3	camorrear	3
boyar	3	cabrillear	3	campanear	3
bracear	3	cabriolar	3	campanillear	3
bramar	3	cabulear	3	campar	3
brascar	71	cacarear	3	campear	3
bravear	3	cacear	3	camuflar	3
brear	3	caciquear	3	canalizar	73
brechar	3	cachañar	3	cancanear	3
bregar	72	cachar	3	cancelar	3
bribonear	3	cacharpearse	3	cancerar	3
brillar	3	cacharrear	3	canchar	3
brincar	71	cachear	3	canchear	3
brindar	3	cachetear	3	candombear	3
briscar	71	cachifollar	3	candonguear	3
brizar	73	cachiporrearse	3	canear	3
brocearse	3	cachondearse	3	canecer	35
brochar	3	cachorrear	3	cangallar	3
bromear	3	cachuchear	3	cangrejear	3
		caducar	71		

citar	3	coeditar	3	comediar	3
civilizar	73	coercer	83	comedir	6
cizallar	3	coexistir	5	comentar	3
cizañar	3	coextenderse	13	comenzar	64
cizañear	3	coger	84	comer	4
clamar	3	cogestionar	3	comercializar	73
clamorear	3	cogollar	3	comerciar	3
clarar	3	cohabitar	3	cometer	4
clarear [unipers.]	3	cohechar	3	cominear	3
clarecer [unipers.]	35	coheredar	3	comiquear	3
clarificar	71	cohesionar	3	comisar	3
clasificar	71	cohibir	89	comiscar	71
claudicar	71	cohobar	3	comisionar	3
claustrar	3	cohombrar	3	comisquear	3
clausular	3	cohonestar	3	compactar	3
clausurar	3	coimear	3	compadecer	35
clavar	3	coincidir	5	compadrar	3
clavetear	3	coindicar	71	compadrear	3
climatizar	73	cojear	3	compaginar	3
clisar	3	colaborar	3	comparar	3
clocar	60	colacionar	3	comparecer	35
cloquear	3	colapsar	3	compartir	5
cloroformar	3	colar	19	compasar	3
cloroformizar	73	colchar	3	compatibilizar	73
clorurar	3	colear	3	compeler [dos part.]	4
coaccionar	3	coleccionar	3	compendiar	3
coacervar	3	colectar	3	compendizar	73
coactar	3	colectivizar	73	compenetrarse	3
coacusar	3	colegiarse	3	compensar	3
coadministrar	3	colegir	67	competer	4
coadquirir	30	colerizar	73	competir	6
coadunar	3	coletear	3	compilar	3
coadyuvar	3	colgar	61	complacer	35
coagular	3	colicuar	76	complementar	3
coalicionar	3	colicuecer	35	completar	3
coaligar	72	coligar	72	complicar	71
coarrendar	11	colimar	3	complotar	3
coartar	3	colindar	3	componer	16
coasociarse	3	colisionar	3	comportar	3
cobaltar	3	colitigar	72	comprar	3
cobardear	3	colmar	3	comprender	4
cobear	3	colmatar	3	comprimir [dos part.]	5
cobijar	3	colmenear	3	comprobar	19
cobrar	3	colocar	71	comprometer	4
cobrear	3	colonizar	73	compulsar	3
cocainizar	73	colorar	3	compungir	86
cocar	71	colorear	3	compurgar	72
cocarar	3	colorir [defect.]	70	computadorizar	73
cocear	3	coludir	5	computar	3
cocer	23	columbear	3	computarizar	73
cocinar	3	columbrar	3	computerizar	73
cocinear	3	columpiar	3	comulgar	72
cochear	3	comadrear	3	comunicar	71
cochinear	3	comandar	3	concadenar	3
codear	3	comanditar	3	concatenar	3
codiciar	3	comarcar	71	concebir	6
codificar	71	combar	3	conceder	4
codillear	3	combatir	5	concelebrar	3
codirigir	86	combinar	3	concentrar	3

conceptear	3	congratular	3	continuar	76
conceptuar	76	congregar	72	contonearse	3
concernir [defect.]	17	congruir	44	contornar	3
concertar	11	conjeturar	3	contornear	3
concienciar	3	conjugar	72	contorsionarse	3
concientizar	73	conjuntar	3	contraabrir [part. irreg.]	5
conciliar	3	conjurar	3	contraacusar	3
concitar	3	conllevar	3	contraatacar	71
concluir [dos part.]	44	conmemorar	3	contrabalancear	3
concomerse	4	conmensurar	3	contrabandear	3
concomitar	3	conminar	3	contrabatir	5
concordar	19	conmiserarse	3	contrabracear	3
concrecionar	3	conmocionar	3	contracambiar	3
concretar	3	conmover	25	contractar	3
concretizar	73	conmutar	3	contrachapar	3
conculcar	71	connaturalizar	73	contrachapear	3
concurrir	5	connotar	3	contradecir	47
concursar	3	connumerar	3	contraendosar	3
conchabar	3	conocer	37	contraenvitar	3
condecorar	3	conquistar	3	contraer	51
condenar	3	consagrar	3	contrafallar	3
condensar	3	conseguir	68	contraforjar	3
condescender	13	consentir	27	contrahacer	33
condicionar	3	conservar	3	contrahoradar	3
condimentar	3	considerar	3	contraindicar	71
condolecerse	35	consignar	3	contralibrar	3
condoler	22	consistir	5	contralorear	3
condonar	3	consolar	19	contramallar	3
conducir	39	consolidar	3	contramandar	3
conectar	3	consonantar	3	contramaniobrar	3
conexionar	3	consonantizar	73	contramarcar	71
confabular	3	conspirar	3	contramarchar	3
confeccionar	3	constar	3	contramatar	3
confederar	3	constatar	3	contraminar	3
conferenciar	3	constelar	3	contramurallar	3
conferir	27	consternar	3	contramurar	3
confesar [dos part.]	11	constipar	3	contraordenar	3
confiar	75	constituir	44	contrapasar	3
configurar	3	constreñir	8	contrapear	3
confinar	3	constringir	86	contrapechar	3
confirmar	3	constriñir	9	contraperfilar	3
confiscar	71	construir	44	contrapesar	3
confitar	3	consubstanciar	3	contraponer	16
conflagrar	3	consultar	3	contrapresionar	3
confluir	44	consumar	3	contraprobar	19
conformar	3	consumir [dos part.]	5	contraproponer	16
confortar	3	consustanciar	3	contraproyectar	3
confraternar	3	contabilizar	73	contrapugnar	3
confraternizar	73	contactar	3	contrapuntarse	3
confrontar	3	contagiar	3	contrapuntear	3
confundir [dos part.]	5	contaminar	3	contrapunzar	73
confutar	3	contar	19	contrariar	75
congelar	3	contemperar	3	contrarrayar	3
congeniar	3	contemplar	3	contrarregistrar	3
congestionar	3	contemporizar	73	contrarreplicar	71
conglomerar	3	contender	13	contrarrequerir	27
conglutinar	3	contener	15	contrarrestar	3
congojar	3	contentar	3	contrasellar	3
congraciar	3	contestar	3	contraseñar	3

daguerrotipar	3	deformar	3	derrabar	3
dallar	3	defraudar	3	derramar	3
damasquinar	3	degenerar	3	derrapar	3
damnificar	71	deglutir	5	derrelinquir	88
danzar	73	degollar	19	derrenegar *	63
dañar	3	degradar	3	derrengar	72
dar	56	degustar	3	derretir	6
datar	3	deificar	71	derribar	3
deambular	3	dejar	3	derrocar	71
debatir	5	delatar	3	derrochar	3
debelar	3	delegar	72	derrotar	3
deber	4	deleitar	3	derrubiar	3
debilitar	3	deletrear	3	derruir	44
debitar	3	deleznarse	3	derrumbar	3
debocar	71	deliberar	3	desabarrancar	71
debutar	3	delimitar	3	desabastecer	35
decaer	50	delinear	3	desabollar	3
decalcificar	71	delinquir	88	desabordarse	3
decalvar	3	delirar	3	desabotonar	3
decampar	3	demacrar	3	desabrigar	72
decantar	3	demandar	3	desabrir [part. irreg.]	5
decapar	3	demarcar	71	desabrochar	3
decapitar	3	demasiarse	75	desacalorarse	3
decarbonar	3	democratizar	73	desacatar	3
decarbonatar	3	demoler	22	desacedar	3
decarburar	3	demorar	3	desaceitar	3
decelerar	3	demostrar	19	desacelerar	3
decentar	11	demudar	3	desacerar	3
decepcionar	3	denegar	63	desacerbar	3
decidir	5	denegrecer	35	desacertar	11
decimalizar	73	denegrir [defect.]	5	desacidificar	71
decir	46	denguear	3	desacidular	3
declamar	3	denigrar	3	desaclimatar	3
declarar	3	denominar	3	desacobardar	3
declinar	3	denostar	19	desacollarar	3
decodificar	71	denotar	3	desacomodar	3
decolorar	3	densificar	71	desacompañar	3
decomisar	3	dentar	11	desacondicionar	3
decontaminar	3	dentellar	3	desaconsejar	3
decorar	3	dentellear	3	desacoplar	3
decrecer	35	denudar	3	desacordar	19
decrepitar	3	denunciar	3	desacordonar	3
decretar	3	deparar	3	desacorralar	3
decuplar	3	departir	5	desacostumbrar	3
decuplicar	71	depauperar	3	desacotar	3
dedalear	3	depender	4	desacralizar	73
dedicar	71	depilar	3	desacreditar	3
deducir	39	deplorar	3	desactivar	3
defalcar	71	deponer	16	desacuartelar	3
defasar	3	deportar	3	desadeudar	3
defecar	71	depositar	3	desadormecer	35
defeccionar	3	depravar	3	desadornar	3
defender	13	deprecar	71	desadvertir	27
defenestrar	3	depreciar	3	desafear	3
deferir	27	depredar	3	desaferrar	11
definir	5	deprimir	5	desafiar	75
deflacionar	3	depurar	3	desaficionar	3
deflagrar	3	derivar	3	desafilar	3
deflegmar	3	derogar	72	desafinar	3

desentrenarse	3	desgarrar	3	desigualar	3
desentronizar	73	desgasificar	71	desilusionar	3
desentumecer	35	desgasolinar	3	desimaginar	3
desentumir	5	desgastar	3	desimanar	3
desenvainar	3	desgerminar	3	desimantar	3
desenvergar	72	desglosar	3	desimponer	16
desenvolver	21	desgobernar	11	desimpresionar	3
desenyugar	72	desgolletar	3	desinclinar	3
desenzarzar	73	desgoznar	3	desincorporar	3
desequilibrar	3	desgraciar	3	desincrustar	3
desertar	3	desgramar	3	desindexar	3
deservir	6	desgranar	3	desinfartar	3
desescombrar	3	desgranzar	73	desinfectar	3
desescoriar	3	desgrasar	3	desinficionar	3
deseslabonar	3	desgravar	3	desinflamar	3
desespaldar	3	desgreñar	3	desinflar	3
desespañolizar	73	desguanzar	73	desinsacular	3
desesperanzar	73	desguañangar	72	desinsectar	3
desesperar	3	desguarnecer	35	desintegrar	3
desestabilizar	73	desguarnir [defect.]	70	desinteresarse	3
desestancar	71	desguazar	73	desintoxicar	71
desestañar	3	desguindar	3	desinvernar	11
desesterar	3	desguinzar	73	desistir	5
desestimar	3	deshabitar	3	desjarretar	3
desfajar	3	deshabituar	76	desjerarquizar	73
desfalcar	71	deshacer	33	desjugar	72
desfallecer	35	deshalogenar	3	desjuntar	3
desfamar	3	desharrapar	3	deslabonar	3
desfasar	3	deshebillar	3	desladrillar	3
desfavorecer	35	deshebrar	3	deslanar	3
desfibrar	3	deshechizar	73	deslastrar	3
desfibrinar	3	deshelar [unipers.]	11	deslatar	3
desfigurar	3	desherbar	11	deslavar	3
desfijar	3	desheredar	3	deslavazar	73
desfilar	3	deshermanar	3	deslazar	73
desflecar	71	desherrar	11	deslechar	3
desflecharse	3	desherrumbrar	3	deslechugar	72
desflemar	3	deshidratar	3	desleir	10
desflocar	60	deshidrogenar	3	deslendrar	11
desflorar	3	deshijar	3	deslenguar	77
desflorecer	35	deshijuelar	3	desliar	75
desfogar	72	deshilachar	3	desligar	72
desfollonar	3	deshilar	3	deslindar	3
desfondar	3	deshilvanar	3	deslizar	73
desforestar	3	deshincar	71	deslomar	3
desformar	3	deshinchar	3	deslucir	38
desforrar	3	deshipnotizar	73	deslumbrar	3
desfortalecer	35	deshipotecar	71	deslustrar	3
desfortificar	71	deshojar	3	desmadejar	3
desfosforar	3	deshollejar	3	desmadrarse	3
desfruncir	5	deshollinar	3	desmadrinarse	3
desgajar	3	deshonestarse	3	desmagnetizar	73
desgalgar	72	deshonorar	3	desmajolar	19
desgalillarse	3	deshonrar	3	desmalezar	73
desgalonar	3	deshornar	3	desmallar	3
desganar	3	deshuesar	3	desmamar	3
desgañitarse	3	deshumanizar	73	desmamonar	3
desgargolar	3	deshumedecer	35	desmamparar	3
desgaritar	3	designar	3	desmanarse	3

emballenar	3	emborrar	3	empanar	3
embanastar	3	emborrascar	71	empandar	3
embancarse	71	emborrazar	73	empandillar	3
embanderar	3	emborricarse	71	empantanar	3
embanquetar	3	emborrizar	73	empanturrarse	3
embarazar	73	emborronar	3	empanzarse	73
embarbascarse	71	emborrullarse	3	empañar	3
embarbecer	35	emboscar	71	empañetar	3
embarbillar	3	embosquecer	35	empapar	3
embarcar	71	embotar	3	empapelar	3
embardar	3	embotellar	3	empapirotar	3
embargar	72	emboticarse	71	empapujar	3
embarnecer	35	embotijar	3	empaquetar	3
embarnizar	73	embotonar	3	emparamarse	3
embarrancar	71	embovedar	3	emparchar	3
embarrar	3	embozalar	3	empardar	3
embarrialarse	3	embozar	73	emparedar	3
embarrilar	3	embragar	72	emparejar	3
embarrotar	3	embramar	3	emparentar	11
embarullar	3	embravar	3	emparrandarse	3
embastar	3	embravecer	35	emparrar	3
embastecer	35	embrazar	73	emparrillar	3
embaucar	71	embrear	3	emparvar	3
embaular	82	embregarse	72	empastar	3
embazar	73	embreñarse	3	empastelar	3
embebecer	35	embretar	3	empatar	3
embeber	4	embriagar	72	empavar	3
embejucar	71	embridar	3	empavesar	3
embelecar	71	embrocar	71	empavonar	3
embeleñar	3	embrollar	3	empavorecer	35
embelesar	3	embromar	3	empecer	35
embellaquecer	35	embroquelarse	3	empecinarse	3
embellecarse	71	embroquetar	3	empedarse	3
embellecer	35	embrozar	73	empedernecer	35
embermejar	3	embrujar	3	empedernir [defect.]	70
embermejecer	35	embrutecer	35	empedrar	11
emberrenchinarse	3	embuchar	3	empegar	72
emberrincharse	3	embudar	3	empeguntar	3
embestir	6	embullar	3	empelar	3
embetunar	3	emburujar	3	empelechar	3
embicar	71	embustear	3	empelotarse	3
embijar	3	embutir	5	empellar	3
embizcar	71	emerger	84	empellejar	3
emblandecer	35	emigrar	3	empeller	7
emblanquecer	35	emitir	5	empenachar	3
embobar	3	emocionar	3	empeñar	3
embobecer	35	empacar	71	empeñolarse	3
embobinar	3	empachar	3	empeorar	3
embocar	71	empadrarse	3	empequeñecer	35
embocinarse	3	empadronar	3	empercudir	5
embochinchar	3	empajar	3	emperchar	3
embodegar	72	empajolar	19	emperdigar	72
embojar	3	empalagar	72	emperejilar	3
embolar	3	empalar	3	emperezar	73
embolatar	3	empalizar	73	empergaminar	3
embolismar	3	empalmar	3	empericar	71
embolsar	3	empalomar	3	emperifollar	3
emboquillar	3	empampanarse	3	empernar	3
emborrachar	3	empamparse	3	emperrarse	3

encastrar	3
encastrinarse	3
encauchar	3
encausar	3
encausticar	71
encauzar	73
encavarse	3
encebadar	3
encebollar	3
encelar	3
enceldar	3
encellar	3
encenagarse	72
encender	13
encenizar	73
encentar	11
encentrar	3
encepar	3
encerar	3
encerrar	11
encespedar	3
encestar	3
enciguatarse	3
encimar	3
encintar	3
encintrar	3
encismar	3
encizañar	3
enclancharse	3
enclaustrar	3
enclavar	3
enclavijar	3
enclocar	60
encloquecer	35
encobar	3
encobijar	3
encobrar	3
encoclar	3
encocorar	3
encofrar	3
encoger	84
encojar	3
encolar	3
encolchar	3
encolerizar	73
encolumnarse	3
encomendar	11
encomiar	3
encompadrar	3
enconar	3
encongarse	72
encontrar	19
encoñarse	3
encopetar	3
encorachar	3
encorajar	3
encorajinar	3
encorar	19
encorazar	73

encorchar	3
encorchetar	3
encordar	19
encordelar	3
encordonar	3
encorecer	35
encornar	19
encornudar	3
encorozar	73
encorralar	3
encorselar	3
encorsetar	3
encortinar	3
encorvar	3
encostalar	3
encostrar	3
encovar	19
encrasar	3
encrespar	3
encrestarse	3
encristalar	3
encrudecer	35
encruelecer	35
encuadernar	3
encuadrar	3
encuartar	3
encuartelar	3
encuatar	3
encubar	3
encubertar	3
encubrir [part. irreg.]	5
encuclillarse	3
encucurucharse	3
encuellar	3
encuerar	3
encuestar	3
encufar	3
encuitarse	3
enculatar	3
encumbrar	3
encunar	3
encurdarse	3
encurdelarse	3
encureñar	3
encurrucarse	71
encurtir	5
enchalecar	71
enchamicar	71
enchancletar	3
enchancharse	3
enchapar	3
enchaparrarse	3
enchaquetarse	3
encharcar	71
enchastrar	3
enchicharse	3
enchilar	3
enchinar	3
enchinchar	3

enchipar	3
enchiquerar	3
enchironar	3
enchispar	3
enchivarse	3
enchuecar	71
enchufar	3
enchularse	3
enchutar	3
endechar	3
endehesar	3
endemoniar	3
endentar	11
endentecer	35
enderezar	73
endeudarse	3
endiablar	3
endilgar	72
endiñar	3
endiosar	3
enditarse	3
endomingarse	72
endosar	3
endoselar	3
endrogarse	72
endulzar	73
endurecer	35
enejar	3
enemistar	3
enervar	3
enfadar	3
enfajar	3
enfajillar	3
enfaldar	3
enfangar	72
enfardar	3
enfardelar	3
enfatizar	73
enfermar	3
enfervorecer	35
enfervorizar	73
enfeudar	3
enfielar	3
enfierecerse	35
enfiestarse	3
enfilar	3
enflaquecer	35
enflatarse	3
enflautar	3
enflorar	3
enflorecer	35
enfocar	71
enfollonar	3
enfoscar	71
enfrailar	3
enfranquecer	35
enfrascar	71
enfrentar	3
enfriar	75

enfrijolarse	3	engoznar	3	enjaular	3
enfrontar	3	engranar	3	enjebar	3
enfuetarse	3	engrandar	3	enjergar	72
enfullar	3	engrandecer	35	enjertar	3
enfullinarse	3	engranerar	3	enjicar	71
enfundar	3	engranujarse	3	enjiquerar	3
enfuñarse	3	engrapar	3	enjotarse	3
enfurecer	35	engrasar	3	enjoyar	3
enfurruñarse	3	engravecer	35	enjuagar	72
enfurruscarse	71	engreír	10	enjugar [dos part.]	72
enfurtir	5	engrescar	71	enjuiciar	3
engafar	3	engrifar	3	enjuncar	71
engaitar	3	engrillar	3	enjutar	3
engalabernar	3	engrincharse	3	enlabiar	3
engalanar	3	engringarse	72	enlaciar	3
engalerar	3	engrosar	19	enladrillar	3
engalgar	72	engrudar	3	enlagunar	3
engallarse	3	engruesar	3	enlajar	3
enganchar	3	engrumecerse	35	enlamar	3
engangrenarse	3	enguachinar	3	enlanguidecer	35
engañar	3	engualdrapar	3	enlardar	3
engarabatar	3	enguancharse	3	enlatar	3
engarabitarse	3	enguantar	3	enlazar	73
engaratusar	3	enguatar	3	enlechar	3
engarbarse	3	enguedejar	3	enlegajar	3
engarbullar	3	enguijarrar	3	enlejiar	75
engargantar	3	enguillotarse	3	enlenzar	64
engargolar	3	enguirnaldar	3	enligar	72
engaritar	3	engullir	9	enlijarse	3
engarrafar	3	engurruminar	3	enlisar	3
engarriar	3	engurrumir	5	enlistar	3
engarrotar	3	engurruñar	3	enlistonar	3
engarruñar	3	engurruñir	5	enlizar	73
engarzar	73	enhacinar	3	enlodar	3
engasar	3	enharinar	3	enlodazar	73
engastar	3	enhastiar	75	enlomar	3
engatar	3	enhatijar	3	enloquecer	35
engatillar	3	enhebillar	3	enlosar	3
engatusar	3	enhebrar	3	enlozanarse	3
engauchar	3	enhestar	11	enlozar	73
engazuzar	73	enhielar	3	enlucir	38
engendrar	3	enhilar	3	enlustrecer	35
engentarse	3	enhorcar	71	enlutar	3
engerirse	27	enhornar	3	enllantar	3
engibar	3	enhorquetar	3	enllentecer	35
englobar	3	enhuecar	71	enllocar	60
englutir	5	enhuerar	3	enmadejar	3
engolar	3	enigmatizar	73	enmaderar	3
engolfar	3	enjabegarse	72	enmadrarse	3
engolillarse	3	enjabonar	3	enmagrecer	35
engolondrinarse	3	enjaezar	73	enmalecer	35
engolosinar	3	enjalbegar	72	enmalezarse	73
engolletarse	3	enjalmar	3	enmallarse	3
engolliparse	3	enjambrar	3	enmangar	72
engomar	3	enjaquimar	3	enmaniguarse	77
engominar	3	enjarciar	3	enmantar	3
engorar	19	enjardinar	3	enmarañar	3
engordar	3	enjaretar	3	enmarar	3
engorrar	3	enjarretarse	3	enmarcar	71

gamonear	3	gloriar	75	guachapear	3
ganar	3	glorificar	71	guachaquear	3
gandujar	3	glosar	3	guachaquiar	3
gandulear	3	glotonear	3	guachificarse	71
gangosear	3	gobernar	11	guachinear	3
gangrenarse	3	gofrar	3	guadañar	3
ganguear	3	golear	3	guaguatear	3
gansear	3	golfear	3	guaiquear	3
gañir	9	golosear	3	guajear	3
gañotear	3	golosinar	3	gualambear	3
gapalear	3	golosinear	3	gualdrapear	3
garabatear	3	golpear	3	guanaquear	3
garafatear	3	golpetear	3	guanear	3
garantir [defect.]	70	golletear	3	guanguear	3
garantizar	73	gomar	3	guantear	3
garapiñar	3	gongorizar	73	guañir	9
garbear	3	gorbetear	3	guapear	3
garfear	3	gorgojarse	3	guaquear	3
gargajear	3	gorgojearse	3	guarachear	3
gargantear	3	gorgorear	3	guaranguear	3
gargarear	3	gorgoritear	3	guarapear	3
gargarizar	73	gorjear	3	guaraquear	3
garlar	3	gorrear	3	guardar	3
garrafiñar	3	gorronear	3	guarear	3
garrapatear	3	gotear	3	guarecer	35
garrapiñar	3	gozar	73	guaricarse	71
garrar	3	grabar	3	guarnecer	35
garrochar	3	gracejar	3	guarnicionar	3
garrochear	3	gradar	3	guarnir [defect.]	70
garrotear	3	graduar	76	guasapear	3
garrulear	3	grajear	3	guaschar	3
garuar [unipers.]	76	gramatiquear	3	guasear	3
garufear	3	granar	3	guasquear	3
gasear	3	granear	3	guastar	3
gasificar	71	granelar	3	guataquear	3
gastar	3	granizar [unipers.]	73	guatear	3
gatear	3	granjear	3	guatequear	3
gauchar	3	granular	3	guayabear	3
gauchear	3	grapar	3	guayar	3
gayar	3	gratar	3	guayuquear	3
gazmiar	3	gratificar	71	guazquear	3
gelatinificar	71	gratular	3	guerrear	3
gemiquear	3	gravar	3	guerrillear	3
gemir	6	gravear	3	guiar	75
generalizar	73	gravitar	3	guillarse	3
generar	3	graznar	3	guillotinar	3
germanizar	73	grecizar	73	güinchar	3
germinar	3	grietarse	3	guindar	3
gestar	3	grietearse	3	guiñar	3
gestear	3	grifarse	3	guiñear	3
gesticular	3	grillarse	3	guipar	3
gestionar	3	gritar	3	güisachear	3
gibar	3	gruir	44	guisar	3
gilipollear	3	grujir	5	guisinguear	3
gimotear	3	gruñir	9	guisotear	3
girar	3	guabinear	3	güisquilar	3
gitanear	3	guacalear	3	guitarrear	3
glasear	3	guacamolear	3	guitonear	3
glicerinar	3	guachachear	3	gulusmear	3

151

macear	3	malparir	5	marcear	3
macerar	3	malquerer [dos part.]	14	marchamar	3
macetear	3	malquistar	3	marchar	3
macizar	73	malrotar	3	marchitar	3
macollar	3	maltear	3	marear	3
maconear	3	maltraer	51	margar	72
macujear	3	maltratar	3	marginar	3
macular	3	malvender	4	mariconear	3
macurcarse	71	malversar	3	maridar	3
machacar	71	malvivir	5	marinar	3
machaquear	3	mallar	3	marinear	3
machear	3	mamar	3	mariposear	3
machetear	3	mampostear	3	mariscar	71
machihembrar	3	mampresar	3	maromear	3
machorrear	3	mamujar	3	marranear	3
machucar	71	mamullar	3	marrar	3
madrear	3	manar	3	martajar	3
madrugar	72	mancar	71	martillar	3
madurar	3	mancillar	3	martillear	3
maestrear	3	mancipar	3	martirizar	73
magancear	3	mancomunar	3	masacrar	3
magnetizar	73	mancornar	19	mascar	71
magnificar	71	manchar	3	mascujar	3
magostar	3	mandar	3	mascullar	3
magrear	3	mandilar	3	masificar	71
magrecer	35	manducar	71	masillar	3
maguarse	77	manear	3	masticar	71
magullar	3	manejar	3	masturbar	3
mahometizar	73	manganear	3	mataperrear	3
majadear	3	mangar	72	matar	3
majaderear	3	mangonear	3	matasellar	3
majar	3	manguear	3	matear	3
majaretear	3	maniatar	3	materializar	73
majolar	19	manifestar [dos part.]	11	matizar	73
malacostumbrar	3	maniobrar	3	matonear	3
malanocharse	3	manipular	3	matraquear	3
malaxar	3	manir [defect.]	70	matrerear	3
malbaratar	3	manojear	3	matricular	3
malcasar	3	manosear	3	matrimoniar	3
macomer	4	manotear	3	matutear	3
malcriar	75	manquear	3	maular	82
maldecir [dos part.]	47	mantear	3	maulear	3
maleabilizar	73	mantener	15	maullar	82
malear	3	manufacturar	3	maximizar	73
maleficiar	3	manumitir [dos part.]	5	mayar	3
malemplear	3	manuscribir [part. irreg.]	5	mayear	3
malentender	13	manutener	15	mayordomear	3
malgastar	3	mañanear	3	mazar	73
málherir	27	mañear	3	maznar	3
malhumorar	3	mañerear	3	mear	3
maliciar	3	mañosear	3	mecanizar	73
malignar	3	maquear	3	mecanografiar	75
malmodiar	3	maquilar	3	mecatear	3
malograr	3	maquillar	3	mecer	83
malojear	3	maquinar	3	mechar	3
malonear	3	maquinizar	73	mechificar	71
maloquear	3	maraquear	3	mechonear	3
malorear	3	maravillar	3	mediar	3
malparar	3	marcar	71	mediatizar	73

peluquear	3	perseguir	68	pintar	3
pellizcar	71	perseverar	3	pintarrajar	3
penalizar	73	persignarse	3	pintarrajear	3
penar	3	persistir	5	pintear	3
pencar	71	personalizar	73	pintiparar	3
pendejear	3	personarse	3	pintonear	3
pendenciar	3	personificar	71	pintorrear	3
pender	4	persuadir	5	piñonear	3
pendonear	3	pertenecer	35	pipiar	75
penetrar	3	pertiguear	3	pirarse	3
penitenciar	3	pertrechar	3	piratear	3
pensar	11	perturbar	3	pirograbar	3
pensionar	3	peruanizar	73	piropear	3
peonar	3	pervertir	27	pirquinear	3
pepenar	3	pervivir	5	pirrarse	3
peptonificar	71	pesar	3	piruetear	3
peraltar	3	pescar	71	pisar	3
percatar	3	pescocear	3	pisonear	3
percibir	5	pesetear	3	pisotear	3
percollar	19	pesiar	3	pispar	3
percudir	5	pespuntar	3	pistar	3
percutir	5	pespuntear	3	pistolear	3
perchar	3	pesquirir	30	pitar	3
perchonar	3	pesquisar	3	pitear	3
perder	13	pestañear	3	pitirrear	3
perdigar	72	petaquear	3	pitorrearse	3
perdonar	3	petardear	3	piular	3
perdurar	3	peticionar	3	pivotar	3
perecear	3	petrificar	71	pivotear	3
perecer	35	petrolear	3	piyarse	3
peregrinar	3	petrolizar	73	pizcar	71
perennizar	73	piafar	3	placear	3
perfeccionar	3	pialar	3	placer	40
perfilar	3	piar	75	plagar	72
perforar	3	picar	71	plagiar	3
perfumar	3	picardear	3	planchar	3
perfumear	3	picotear	3	planchear	3
pergeñar	3	pichipararse	3	planear	3
periclitar	3	picholear	3	planificar	71
perifollar	3	pichulear	3	plantar	3
perifrasear	3	pifiar	3	plantear	3
periodiquear	3	pigmentar	3	plantificar	71
periquear	3	pignorar	3	plañir	9
perjudicar	71	pijotear	3	plasmar	3
perjurar	3	pilar	3	plastecer	35
perlificar	71	pilotar	3	plastificar	71
perlongar	72	pilotear	3	platear	3
permanecer	35	pillar	3	platicar	71
permitir	5	pillear	3	platinar	3
permutar	3	pimplar	3	playear	3
pernear	3	pimpollear	3	plebiscitar	3
perniquebrar	11	pimpollecer	35	plegar	63
pernoctar	3	pincelar	3	pleitear	3
perorar	3	pinchar	3	plisar	3
peroxidar	3	pinchulear	3	plomar	3
perpenar	3	pindonguear	3	plomear	3
perpetrar	3	pinenear	3	plumear	3
perpetuar	76	pingorotear	3	pluralizar	73
perquirir	30	pingotear	3	poblar	19

reapretar	11	recauchutar	3	recovar	3
rearmar	3	recaudar,	3	recrear	3
reasegurar	3	recavar	3	recrecer	35
reasumir	5	recebar	3	recriar	75
reatar	3	recechar	3	recriminar	3
reavivar	3	recejar	3	recristalizar	73
rebajar	3	recelar	3	recrudecer	35
rebalsar	3	recentar	11	recrujir	5
rebanar	3	recepcionar	3	recruzar	73
rebanear	3	receptar	3	rectificar	71
rebañar	3	recercar	71	rectorar	3
rebarrar	3	recesar	3	recuadrar	3
rebasar	3	recetar	3	recubrir [part. irreg.]	5
rebatir	5	recibir	5	recudir	5
rebautizar	73	reciclar	3	recular	3
rebelarse	3	recidivar	3	recuperar	3
rebenquear	3	recinchar	3	recurar	3
rebinar	3	reciprocar	71	recurrir	5
reblandecer	35	recitar	3	recusar	3
rebobinar	3	reclamar	3	rechazar	73
rebolear	3	reclinar	3	rechiflar	3
rebombar	3	recluir [dos part.]	44	rechinar	3
rebordear	3	reclutar	3	rechistar	3
reborujar	3	recobrar	3	redactar	3
rebosar	3	recocer	23	redar	3
rebotar	3	recochinearse	3	redargüir	44
rebozar	73	recodar	3	redecir	46
rebramar	3	recoger	84	redescontar	19
rebrillar	3	recolar	19	redhibir	5
rebrincar	71	recolectar	3	rediezmar	3
rebrotar	3	recolegir	67	redilar	3
rebudiar	3	recolocar	71	redilear	3
rebufar	3	recomendar	11	redimensionar	3
rebujar	3	recomerse	4	redimir	5
rebullir	9	recompensar	3	redistribuir	44
rebumbar	3	recomponer	16	redituar	76
reburujar	3	reconcentrar	3	redoblar	3
rebuscar	71	reconciliar	3	redoblegar	72
rebutir	5	reconcomerse	4	redondear	3
rebuznar	3	recondenar	3	redorar	3
recabar	3	reconducir	39	reducir	39
recachear	3	reconfirmar	3	redundar	3
recaer	50	reconfortar	3	reduplicar	71
recalar	3	reconocer	37	reedificar	71
recalcar	71	reconquistar	3	reeditar	3
recalcificar	71	reconsiderar	3	reeducar	71
recalcitrar	3	reconstituir	44	reelegir [dos part.]	67
recalentar	11	reconstruir	44	reembarcar	71
recalificar	71	recontar	19	reembolsar	3
recalzar	73	reconvalecer	35	reemitir	5
recamar	3	reconvenir	18	reemplazar	73
recambiar	3	reconvertir	27	reemprender	4
recapacitar	3	recopilar	3	reencarnar	3
recapitular	3	recordar	19	reencauchar	3
recargar	72	recorrer	4	reencauzar	73
recatar	3	recortar	3	reencontrar	19
recatear	3	recorvar	3	reenganchar	3
recatonear	3	recoser	4	reensayar	3
recauchar	3	recostar	19	reenviar	75

163

165

torturar	3	trapear	3	traspirar	3
toser	4	trapichear	3	trasplantar	3
tostar	19	trapisondear	3	trasponer	16
totalizar	73	traquear	3	trasportar	3
totolear	3	traquetear	3	trasquilar	3
trabajar	3	trasbocar	71	trasroscarse	71
trabar	3	trasbordar	3	trastabillar	3
trabucar	71	trasbucar	71	trastear	3
traducir	39	trascartarse	3	trastejar	3
traer	51	trascender	13	trasterminar	3
trafagar	72	trascolar	19	trastocar	71
traficar	71	trasconejarse	3	trastornar	3
tragar	72	trascordarse	19	trastrabarse	3
traicionar	3	trascribir [part. irreg.]	5	trastrabillar	3
traillar	78	trascurrir	5	trastrocar	60
trajear	3	trasdoblar	3	trasudar	3
trajinar	3	trasdosar	3	trasuntar	3
tramar	3	trasdosear	3	trasvasar	3
tramitar	3	trasechar	3	trasvasijar	3
tramontar	3	trasegar	63	trasvenarse	3
trampear	3	trasferir	27	trasver	55
trancar	71	trasfigurar	3	trasverter	13
tranquear	3	trasflorar	3	trasvinarse	3
tranquilar	3	trasflorear	3	trasvolar	19
tranquilizar	73	trasformar	3	tratar	3
transar	3	trasfregar	63	traumatizar	73
transbordar	3	trasfundir	5	travesar	11
transcender	13	trasgredir [defect.]	70	travesear	3
transcribir [part. irreg.]	5	trasguear	3	travestir	6
transcurrir	5	trashojar	3	trazar	73
transferir	27	trashumar	3	trazumarse	3
transfigurar	3	trasladar	3	trebejar	3
transflorar	3	traslapar	3	trebelear	3
transflorear	3	traslimitar	3	trechear	3
transformar	3	traslucirse	38	trefilar	3
transfregar	63	traslumbrar	3	tremolar	3
transfundir	5	trasmañanar	3	trencillar	3
transgredir [defect.]	70	trasmatar	3	trenzar	73
transigir	86	trasmigrar	3	trepanar	3
transistorizar	73	trasminar	3	trepar	3
transitar	3	trasmitir	5	trepidar	3
translimitar	3	trasmochar	3	tresdoblar	3
translucirse	38	trasmontar	3	tresquilar	3
transmigrar	3	trasmudar	3	triangular	3
transmontar	3	trasmutar	3	triar	75
transmudar	3	trasnochar	3	tributar	3
transmutar	3	trasnombrar	3	trifurcarse	71
transparentarse	3	trasoír	45	trillar	3
transpirar	3	trasoñar	19	trinar	3
transplantar	3	traspalar	3	trincar	71
transponer	16	traspalear	3	trinchar	3
transportar	3	traspapelarse	3	trinchear	3
transterminar	3	trasparecer	35	tripartir	5
transubstanciar	3	trasparentarse	3	triplicar	71
transvasar	3	traspasar	3	triptongar	72
tranzar	73	traspeinar	3	tripular	3
trapacear	3	traspellar	3	trisar	3
trapalear	3	traspillar	3	triscar	71
trapazar	73	traspintar	3	trisecar	71

I Lista de verbos defectivos

USO

ABARSE	formas no personales. imperativo : 2ª pers. sing. y pl.
ABOLIR	formas no personales. indicativo : todos los tiempos simples y compuestos, pero del presente sólo las 1ª y 2ª pers. pl. subjuntivo : pret. imperf., pret. pluscuamp., futuro y futuro perfecto. imperativo : sólo la 2ª pers. pl.
ACAECER	formas no personales y las 3ª pers. sing. y pl. de cada uno de los tiempos.
ACONTECER	formas no personales y las 3ª pers. sing. y pl. de cada uno de los tiempos.
ADIR	sólo las formas no personales.
AGREDIR	igual que *abolir.*
AGUERRIR	igual que *abolir.*
APLACER	formas no personales y las 3ª pers. sing. y pl. del presente y del pret. imperf. de indicativo.
ARRECIRSE	igual que *abolir.*
ATAÑER	formas no personales y las 3ª pers. sing. y pl. de·cada uno de los tiempos
ATERIRSE	igual que *abolir.*
BALBUCIR	no se usa en la 1ª pers. sing. del presente de indicativo ni en el presente de subjuntivo.
BLANDIR	igual que *abolir.*
COLORIR	igual que *abolir.*
CONCERNIR	formas no personales. indicativo : 3ª pers. sing. y pl. del presente y del pret. imperf. subjuntivo : 3ª pers. sing. y pl. del presente.
DENEGRIR	sólo en las formas no personales.
DESCOLORIR	sólo el participio y el infinitivo.
DESGUARNIR	igual que *abolir.*
DESPAVORIR	igual que *abolir.*
EMBAÍR	igual que *abolir*, pero se conjuga como indicado en el cuadro 69.
EMPEDERNIR	igual que *abolir.*
GARANTIR	igual que *abolir.* (En América no es defectivo.)

GUARNIR	igual que *abolir.*
INCOAR	lo mismo que *abolir*, pero se conjuga como *amar.*
INCUMBIR	formas no personales y las 3ª pers. sing. y pl. de cada uno de los tiempos.
MANIR	igual que *abolir.*
POLIR	igual que *abolir.*
PRETERIR	igual que *abolir;* formas no personales.
SOLER	indicativo : presente, pret. imperf., pret. perf. simple y compuesto.
	subjuntivo : presente.
TRANSGREDIR	igual que *abolir.*
USUCAPIR	sólo en las formas no personales.

II Lista de verbos unipersonales

ALBOREAR	DESCAMPAR	OBSCURECER
AMANECER	DESHELAR	ORVALLAR
ANOCHECER	DILUVIAR	OSCURECER
ATARDECER	ESCAMPAR	RELAMPAGUEAR
ATENEBRARSE	ESCARCHAR	RETRONAR
ATRONAR	GARUAR	RIELAR
CELLISQUEAR	GRANIZAR	RUTILAR
CENTELLAR	HELAR	TARDECER
CENTELLEAR	LOBREGUECER	TEMPESTEAR
CLAREAR	LLOVER	TONAR
CLARECER	LLOVIZNAR	TRONAR
CORUSCAR	MOLLIZNAR	VENTAR
CHAPARREAR	MOLLIZNEAR	VENTEAR
CHISPEAR	NEVAR	VENTISCAR
CHUBASQUEAR	NEVISCAR	VENTISQUEAR

III Verbos regulares
con un participio irregular

En la lista general de verbos que precede se han señalado algunos verbos que coinciden con el modelo de conjugación regular, pero con la excepción del participio. He aquí la lista de estos verbos :

ABRIR	abierto	MANUSCRIBIR	manuscrito
ADSCRIBIR	adscrito	PRESCRIBIR	prescrito
CUBRIR	cubierto	PROSCRIBIR	proscrito
DESCRIBIR	descrito	REABRIR	reabierto
DESCUBRIR	descubierto	RECUBRIR	recubierto
ENCUBRIR	encubierto	RESCRIBIR	rescrito
ENTREABRIR	entreabierto	ROMPER	roto
ESCRIBIR /	escrito	SUSCRIBIR	suscrito
INSCRIBIR	inscrito	TRANSCRIBIR	transcrito

En algunos países de la América de lengua española se conserva aún la *p* arcaica de determinados participios (*adscripto, prescripto, proscripto, sus-cripto,* etc.).

Cabe señalar además que la irregularidad de ciertos verbos se ve también reflejada en los participios de éstos :

ABSOLVER	absuelto	PUDRIR	podrido
DECIR	dicho	RAREFACER	rarefacto
DISOLVER	disuelto	RESOLVER	resuelto
HACER	hecho	SATISFACER	satisfecho
LICUEFACER	licuefacto	TUMEFACER	tumefacto
MORIR	muerto	VER	visto
PONER	puesto	VOLVER	vuelto

Iguales características tienen los derivados correspondientes (*anteponer, contradecir, desenvolver, deshacer, devolver, disponer, entrever, envolver, exponer, imponer, oponer, posponer, prever, proponer, rehacer, reponer, revolver, superponer, suponer, yuxtaponer,* etc.), con la excepción de *bendecir* y *maldecir,* que pertenecen al grupo de verbos con dos participios cuya lista va a continuación.

IV Verbos con dos participios

Una serie de verbos castellanos se caracteriza por tener dos participios, uno regular y otro irregular, este último tomado del latín de modo más directo. No obstante, para la formación de los tiempos compuestos se utilizan generalmente los regulares (con las excepciones de *frito, impreso* y *provisto*), quedando los irregulares en función adjetiva. Por ejemplo, *el profesor no ha* CORREGIDO, *todavía los ejercicios,* pero *el ejercicio resulta* CORRECTO.

Los principales verbos con dos participios son los siguientes :

	regular	irregular
ABSORBER	absorbido	absorto
ABSTRAER	abstraído	abstracto
AFLIGIR	afligido	aflicto
AHITAR	ahitado	ahíto
ATENDER	atendido	atento
BENDECIR	bendecido	bendito
BIENQUERER	bienquerido	bienquisto
CIRCUNCIDAR	circuncidado	circunciso
COMPELER	compelido	compulso
COMPRIMIR	comprimido	compreso
CONCLUIR	concluido	concluso
CONFESAR	confesado	confeso
CONFUNDIR	confundido	confuso
CONSUMIR	consumido	consunto
CONTUNDIR	contundido	contuso
CONVENCER	convencido	convicto
CONVERTIR	convertido	converso
CORREGIR	corregido	correcto
CORROMPER	corrompido	corrupto
DESPERTAR	despertado	despierto

DESPROVEER	desproveído	desprovisto
DIFUNDIR	difundido	difuso
DIVIDIR	dividido	diviso
ELEGIR	elegido	electo
ENJUGAR	enjugado	enjuto
EXCLUIR	excluido	excluso
EXIMIR	eximido	exento
EXPELER	expelido	expulso
EXPRESAR	expresado	expreso
EXTENDER	extendido	extenso
EXTINGUIR	extinguido	extinto
FIJAR	fijado	fijo
FREÍR	freído	frito
HARTAR	hartado	harto
IMPRIMIR	imprimido (p. us.)	impreso
INCLUIR	incluido	incluso
INCURRIR	incurrido	incurso
INFUNDIR	infundido	infuso
INJERTAR	injertado	injerto
INSERTAR	insertado	inserto
INVERTIR	invertido	inverso
JUNTAR	juntado	junto
MALDECIR	maldecido	maldito
MALQUERER	malquerido	malquisto
MANIFESTAR	manifestado	manifiesto
MANUMITIR	manumitido	manumiso
NACER	nacido	nato
OPRIMIR	oprimido	opreso
POSEER	poseído	poseso
PRENDER	prendido	preso
PRESUMIR	presumido	presunto
PRETENDER	pretendido	pretenso
PROPENDER	propendido	propenso
PROVEER	proveído	provisto
RECLUIR	recluido	recluso
RETORCER	retorcido	retuerto
SALPRESAR	salpresado	salpreso
SALVAR	salvado	salvo
SEPELIR	sepelido	sepulto
SEPULTAR	sepultado	sepulto
SOFREÍR	sofreído	sofrito
SOLTAR	soltado	suelto
SUBSTITUIR	substituido	substituto
SUJETAR	sujetado	sujeto
SUSPENDER	suspendido	suspenso
SUSTITUIR	sustituido	sustituto
TEÑIR	teñido	tinto
TORCER	torcido	tuerto
TORREFACTAR	torrefactado	torrefacto

V Consideraciones acerca del tratamiento

En el párrafo 4 del apartado *Conjugación* se han señalado las tres personas gramaticales, tanto del singular como del plural, con el empleo de cada una de ellas. No obstante, cabe advertir que en la práctica se producen unos fenómenos de cambio y sustitución de aquéllas. Así, por ejemplo, cuando un profesor inicia la clase con la conocida frase *decíamos ayer*, está usando el verbo en plural, cuando en estricta lógica debería hacerlo en singular *(yo decía ayer)*. Esta forma también la utilizan a veces oradores y escritores al querer expresarse con cierta modestia *(deseamos darles un consejo que nos ha dictado nuestra propia experiencia)*. Del mismo modo, cuando nos dirigimos a alguien debemos emplear la segunda persona del singular y, sin embargo, lo hacemos en algunos casos con la primera persona del plural : *¡Buenos días, querido amigo, cuánto madrugamos!*, que equivale a *¡Buenos días, querido amigo, cuánto madrugas!*

Existen mayores alteraciones en la conjugación a causa del *tratamiento*, es decir, la manera especial de dirigirse a personas a las que se debe respeto, acatamiento o reverencia.

Tuteo

El *tuteo*, manera familiar de tratarse dos o varias personas, consiste en el uso del pronombre *tú* en la 2ª pers. del sing. y de *vosotros (-as)* en la 2ª pers. del pl., con la desinencia verbal correspondiente. El esquema que sigue, ilustrado con cortos ejemplos, dará una idea más clara de lo que queremos expresar :

	NOMINATIVO	DATIVO Y ACUSATIVO	CASO PREPOSICIONAL
SINGULAR	*tú* amas	*te* amo	voy *contigo ;* estoy contra *ti*
PLURAL	*vosotros (-as)* amáis	*os* amo	voy con *vosotros (-as) ;* estoy contra *vosotros (-as)*

Este esquema existe en España desde los orígenes del castellano hasta nuestros días, con algunas variantes en zonas muy localizadas. Así, el nominativo plural *(vosotros, -as)* se convierte en *ustedes* en el habla de extensas partes de Andalucía y América *(ustedes tenéis la culpa)*. Una solución intermedia, que pretende atenuar la connotación algo popular de esto, consiste en el empleo de la 3ª persona verbal, uso que es también frecuente en Canarias *(ustedes tienen la culpa)*. En esas áreas, ha desaparecido prácticamente, por tanto, el uso de los pronombres de 2ª persona del plural *(vosotros, -as)*.

No pueden darse reglas muy estrictas acerca del uso del tuteo, ya que esto depende de muy variadas circunstancias sociales, geográficas, de costumbre, etc. Cabe señalar, no obstante, que es la manera habitual de hablar con familiares y amigos, entre la gente joven o entre aquellos que tienen la misma profesión, siempre que la diferencia de edad entre estos últimos no sea excesiva. Para dirigirse a una persona que se tutea, lo normal es hacerlo por su nombre de pila, aunque también, y con un grado menor de intimidad, puede hacerse con el apellido. Las áreas urbanas son más propensas al uso del tuteo que las rurales, y dentro de ellas las clases altas y medias altas son más permeables a la clara tendencia moderna de restringir cada vez más el uso del *usted* en beneficio del *tú*. Además de los casos citados, el tuteo se emplea en la lengua literaria cuando se refiere uno a entes irreales, a los espíritus, a Dios y a los santos, a las divinidades gentiles, a las cosas presentes o ausentes en la invocación (*¡España, tus costumbres ancestrales y tu respeto al honor!*). También se suele utilizar el *tú* en expresiones de enojo o en frases pronunciadas para echar maldiciones (*¡tú, mi supuesto protector, degenerado bastardo de un padre abyecto!*).

Tratamiento de respeto con *usted*

El moderno tratamiento de respeto consiste en la utilización del pronombre personal *usted (-es)* para ambos géneros junto a la tercera persona verbal. En el siguiente cuadro se sintetiza su uso, sin que falten ejemplos para que el lector pueda captar sin dificultad el funcionamiento.

	NOMINATIVO	DATIVO	ACUSATIVO	CASO PREPOSICIONAL
SINGULAR	*usted* ama	*le* digo ; *se* lo digo	*lo (le)* amo *la* amo	voy con *usted*
PLURAL	*ustedes* aman	*les* digo ; *se* lo digo	*los (les)* amo *las* amo	voy con *ustedes*

El origen del tratamiento de *usted* hay que buscarlo hacia el siglo XVI, cuando la primitiva fórmula, *vos,* para un solo destinatario y verbo en 2ª del plural, empezó a sustituirse poco a poco por el tratamiento de *vuestra merced* con el verbo en 3ª persona. De este modo se aludía de una manera indirecta al destinatario del discurso, lo que obligaba a ese desplazamiento verbal (*vuestra merced* TIENE *la palabra*). Este tratamiento alcanzó tal difusión que pronto *vos* se convirtió en una fórmula no respetuosa que desapareció del habla de España, aunque se mantuvo en algunas zonas del continente americano donde hoy perdura y convive con el *tú*. Este fenómeno se conoce con el nombre de *voseo* y lo estudiaremos más adelante.

La frecuencia de uso redujo el *vuestra merced* a *usted* y este tratamiento se aplicó a los que carecían de títulos nobiliarios, cargos o preeminencias. En la actualidad esta fórmula es fundamental en la vida de relación española, a pesar de que su empleo sea menos frecuente en los últimos tiempos, tal como hemos explicado anteriormente. En ciertos casos se ha impuesto incluso al tuteo que antes era de rigor, como por ejemplo cuando nos dirigimos al personal doméstico o a los que realizan algunos trabajos manuales (peluqueros, camareros, limpiabotas, etc.).

El tratamiento de *usted* lleva consigo el uso del nombre de pila (precedido o no del *Don,* según el grado de respeto) o el del apellido, generalmente anteponiendo la palabra *Señor.* Todo esto está lleno de matices que, por otro lado, no suelen escapar al hablante. En líneas generales, en España está más extendido el uso del *Don* con el nombre de pila, aunque la tendencia actual parece que es de retroceso, mientras que en América predomina la fórmula *Señor + apellido.*

Otros tratamientos

Además del *tú* y el *usted*, existe toda una serie de tratamientos que desbordan los límites de este libro. Entre los más conocidos podemos señalar los de *Majestad* para un soberano, *Alteza Real* para un príncipe o princesa de sangre, *Santidad* para el Papa, *Eminencia* para un cardenal, *Excelencia* para los jefes de Estado, presidentes de la República, ministros, gobernadores, embajadores, etc., con variantes según los países. Estas fórmulas deben ir seguidas de la 3ª persona verbal. La referencia gramatical a la 2ª persona la realiza el pronombre posesivo que completa siempre al sustantivo abstracto *(Vuestra Majestad, Vuestra Excelencia)*. Cabe señalar, sin embargo, que se puede utilizar asimismo el adjetivo posesivo de tercera persona *(Su Majestad, Su Excelencia)* y que el antiguo tratamiento con *vos* seguido del verbo en la 2ª persona del plural es también usual.

Veamos unos cuantos ejemplos del tratamiento que, según el protocolo vigente, hay que aplicar a la persona del Rey : *me presento ante* Vuestra Majestad *para* testimoniaros *mi adhesión ; esta Constitución,* Señor, *es la gran obra de* vuestro *reinado ;* Vos encarnáis *la primera magistratura del Estado.*

Voseo

El *voseo*, término que se aplica al empleo de *vos* para un solo destinatario, era una antigua fórmula que se utilizaba al dirigirse a personas merecedoras de gran respeto para diferenciarlas en el tratamiento de las consideradas como inferiores o con las cuales se tenía mucha confianza. Este uso fue sustituido bastante tiempo después del Siglo de Oro, en la lengua escrita y hablada, por el de *usted*, contracción de *vuestra merced*, como se ha visto anteriormente. El *vos* adquirió de este modo, en España y en varias partes de América, un sabor arcaico, aunque se conservó para invocar a Dios o a los santos. Si bien se juzga como familiar, el *voseo* continúa existiendo en los territorios de la Argentina y en ciertas áreas de Centroamérica, con algunas variantes entre sí. Esta forma pronominal es desconocida en México, Cuba, Puerto Rico, Colombia, Venezuela, Bolivia, Ecuador, Chile, Panamá, Perú y Santo Domingo. En Uruguay se alterna el uso de *vos* y de *tú*.

Las formas verbales asociadas a *vos* para un solo destinatario son, para el presente y el pretérito perfecto simple de indicativo, plurales sin diptongar como *sabés, cantás, tenés, matastes* (sabéis, cantáis, tenéis, matasteis). Los imperativos son de la forma *decí, llegá, tené* (decid, llegad, tened). En los imperfectos de indicativo y subjuntivo se emplean los singulares *(sabías, supieras)*, mientras que en los demás tiempos existe vacilación entre el singular y el plural. Los posesivos y pronombres personales utilizados son los de 2ª persona del singular *(tu, tuyo, tuyos ; te)*, excepto en los casos nominativo y preposicional *(vos)*, como se observa en el ejemplo *vos cantás tu canción preferida.*

Existe una relación evidente entre el uso del *voseo* y la mayor o menor influencia española durante el período colonial. Así, el uso peninsular se ha mantenido en las antiguas cortes virreinales, como Perú y México, y también en territorios donde el dominio fue más intenso, como Cuba, Puerto Rico y Santo Domingo. En cualquier caso, allí donde el *voseo* tiene vigencia, hay que señalar su perfecta convivencia con las fórmulas españolas de tratamiento, lo que se debe, sin duda, al mayor prestigio literario del *tú* y a la crítica de aquella forma dialectal que han llevado a cabo prestigiosos gramáticos y escritores americanos.